VERPLAATSINGEN

DE BEZIGE BIJ POCKET

KEES VAN KOOTEN

De ergste treitertrends 1976
Koot droomt zich af 1977
Koot graaft zich autobio 1979
Veertig 1982
Modermismen 1984
Hedonia 1984
Meer modermismen 1986
Zeven sloten 1988
Meest modermismen 1989
Zwemmen met droog haar 1991
Meer dan alle modermismen 1995

DE BEZIGE BIJ

Kees van Kooten
Verplaatsingen

Verhalen

1997
UITGEVERIJ DE BEZIGE BIJ
AMSTERDAM

Deze herschreven verhalen verschijnen hier voor het eerst in boekvorm. In hun oorspronkelijke gedaante werden zij, voor het merendeel, gepubliceerd in *Humo*.

Copyright © 1993 Kees van Kooten
Eerste druk augustus 1993
Tweede druk oktober 1993
Derde druk (pocket) 1996
Vierde druk (pocket) 1997
Omslag Studio Paul Koeleman
Foto R. Bazen
Druk Hentenaar, Wijk bij Duurstede
ISBN 90 234 2467 0
NUGI 300

Voor Kasper

Zin

U loopt mistroostig over straat, nergens heen, nergens zin in, u denkt het wordt nooit meer wat met de wereld, u overweegt uit balorigheid de aanschaf van een willekeurig luxe-artikel en dan ziet u onverhoeds een allene handschoen op een paaltje liggen; een kinderhandschoen of een dameshandschoen en lang niet altijd een oude gebreide met een of drie gaten in de vingertoppen, maar vaak zelfs een lederen dames- of herenexemplaar en nu kun je wel zeggen: ja, logisch dat de vinder hem niet bij zich heeft gestoken, want wat moet een mens met één handschoen, maar het loutere feit dat iemand de moeite heeft genomen hem op te rapen en ten behoeve van de onthande eigenaar, mocht deze op zijn schreden terugkeren, behoedzaam wat hoger in het zicht te leggen (op een paaltje dus, of op de rand van een openbare prullenmand of parkeerautomaat of plat in een vensterbank, de vingers wenkend over de rand gedrapeerd), verzoent u weer even met het leven; zoals ook in het openbaar kussende paartjes en spelende kinderen dit vermogen en vooral wanneer u een bal-, touwtjespring- of hinkelliedje van vroeger herkent—verrassend vaak zijn het nog dezelfde teksten, alleen zingen ze ze tegenwoordig stukken ritmischer, ze rappen ze als het ware—, blijft u even vertederd staan kijken en dan loopt u een slagje veerkrachtiger door, om lekker geld te gaan halen bij het

postkantoor, niet buiten uit de kale muur, maar binnen tussen de warme mensen van wie u er drie boven de vijfenzestig laat voorgaan en twee allochtone
jongetjes over hun bol strijkt, wat de moeder maar
matig waardeert, hoewel er beslist geen haat uit de
blik vanonder haar hoofddoek spreekt, eerder een
bevroren voorzichtigheid en bij wijze van grapje
vraagt u de lokettist hoeveel een postzegel van tachtig
cent kost, maar dat moet u twee keer herhalen omdat
hij u niet goed verstaat door zijn kogelvrije ruit en
om hem werk te besparen neemt u honderd gulden
minder op dan u van plan was, in elk geval genoeg
om er een mooie bos bloemen van te kopen en op
weg naar de bloemenman geeft u uw stadgenoten het
goede voorbeeld door een omgevallen damesfiets terug overeind te zetten zoals het hoort; niet wankel
met het voorwiel linksafslaand terwijl het rijwiel zelf
onderuitgezakt naar rechts helt, maar stevig met zijn
voorband tegen de pui rubberend en intussen kijkt u
steels om u heen wie er allemaal gezien hebben dat
dit fluitje maar een cent kost en u klopt een paar keer
geruststellend op het zadel en achterom glimlachend
knikt u ten afscheid vriendelijk tegen deze wild-
vreemde fiets en besluit u niet één maar twee bossen
bloemen te kopen, verschillende zelfs, waarop de
bloemist vraagt of hij er één geheel van zal maken en
of er misschien een kaartje bij moet, welk voorstel u
beleefd afwijst, want dat gaat u vanmiddag nu eens
helemaal zelf doen: op uw gemak een sprankelend
boeket samenstellen zodat uw vriendin niet zal weten
wat ze ziet als ze thuiskomt en daarom vraagt u er
voor de garnering nog een paar takjes groen bij, en

laat de bloemist er nu bovendien twee gratis zwemen gipskruid aan toevoegen, waarvan de spichtigheid, die u altijd heeft tegengestaan, schikkenderwijs zo verrassend meevalt dat u het helemaal niet vervelend vindt (want dan kijkt u er zometeen weer fris tegen-aan) wanneer er halverwege het componeren van de ruiker aan de deur wordt gebeld: het is een oudere heer op een beschaafde bromfiets, die namens het ge-zelschap Capriccio komt vragen of u misschien zo vriendelijk zou willen zijn om achter uw voorraam een affiche op te hangen waarop de uitvoering van de Operette *Das Land des Lächelns* wordt aangekon-digd, over drie weken al; ze repeteren namelijk dag en nacht en dan krijgt u een vrijkaartje voor de moeite, maar u zegt: geef mij maar vier van die pos-ters, dan hang ik ze vanavond nog voor alle ramen aan de straatkant en als de man weer is vertrokken vervolmaakt u uw vaas met bloemen en u zingt er zachtjes bij, met een Weens accent waar u zelf om moet lachen en uw vriendin bij thuiskomst helemaal en zelfs zo van harte dat zij voorstelt om morgen, za-terdag, allebei de fiets te pakken, de stad uit te trap-pen en pas te stoppen wanneer jullie zullen zijn aan-gekomen bij de plek in de zachte berm waar jullie voor het eerst samen hebben gevreeën; vorige zomer was het, op dat inmiddels overwoekerde, maar voor de rest van jullie beider leven onvergetelijke punt.

Wederkleren

Hoe lang geleden ben ik opgehouden mij met zorg te kleden? Wanneer besloot ik te vergeten hoe scheel ik mij aan mijn vader ergerde, met zijn twee sport-colbertjes, zijn ene bruine ribfluwelen klusbroek, het vaste, geklede pak voor droge begrafenissen, dat à la Jim Reeves geruite cowboyhemd en die beschamend lubberende, donkerblauwe zwembroek?

Wat was ik van de weeromstuit een modepopje! Uren kon ik lopen voor het kopen van de enig juiste schoenen. Weken verstreken met het vinden van precies het goede truitje. Zeker zesmaal een half jaar lang gespaard om het gedroomde jasje te kunnen aanschaffen.

Maar men trouwt en on se laisse aller.

Er zijn dagen dat ik mij nauwelijks meer aankleed, thuis. T-shirt, trainingsbroek. Wat ik de avond tevoren toevallig naast ons bed heb laten slingeren.

Toch heb ik niet het idee dat ik verloeder. Ik ben schoon op mijn lichaam, maar voor wie zou ik nog pauwen?

Dus je haalt je kleding nog enkel in de uitverkoop en dan draag je, in het gunstigste geval, de mode van het vorige jaar.

Drie broeken tegelijk. Na het thuis nog eens rustig overpassen, blijken er twee ondragelijk. Die gaan zo-lang over een hangertje. Als u straks bent overleden bungelen die verkeerde, nooit gebruikte broeken en achteraf verworpen jasjes nog een week of wat doelloos aan hun knaapjes. Dan doen de erfgenamen alles naar het Rode Kruis.

Aan de meeste van mijn hemden, broeken en jasjes mankeren knopen.

Terwijl ik maar hoef te kikken. Maar in feite wil ik niet dat mijn vrouw ze er weer aannaait, omdat deze ontbreeksels zo vertrouwd zijn; ik weet nauwkeurig wat ik waar overheen moet aantrekken om mijn wapperende manchetten, wijkende broekbanden en knooploze boordjes te maskeren.

Zoals je bed ligt, zo moet je kleding zitten.

Een paar keer per week slaag ik erin op tijd aan het ontbijt te verschijnen, maar dan heb ik mijn pyjama nog aan. Broek van de ene, jasje van de andere. Ik zie hoe mijn kinderen mij peinzend kauwend bekijken, maar verzin zelfs geen smoezen of verontschuldigingen meer.

Mijn vrouw kleedt zich nog wel voor mij aan.

Zaterdagavond moesten mijn zoon en dochter naar een feestje. Het was geen gewone verjaardag, maar een achttiende, dus ging alles in stijl.

Mijn zoon had nog geen pak, mijn dochter nog geen uitgaansjurk.

Vanaf drie uur 's middags hoorden wij hen rondstommelen in onze klerenkast.

Tegen zessen kwamen ze naar beneden.

Daar stonden mijn vrouw en ik toen wij net samenwoonden, maar dan mooier.

Zoals mijn oude bruine pak onze zoon zat, zo had

het mij nooit willen vallen. En de zilveren verlovingsjurk van mijn vrouw stond onze dochter tweemaal beter.

—Doe me nou nog één keer voor hoe je een stropdas strikt, vroeg mijn zoon gehaast.

Achter zijn rug moest ik op mijn tenen gaan staan om mijn armen om zijn kolossale schouders te kunnen slaan.

—Twee keer eromheen, hier onderdoor en dan daar weer doorheen, deed ik hem voor.

—Maar nou moet dat ceintuurtje eigenlijk nog een gaatje strakker, hoorde ik mijn vrouw mijn dochter afkleden.

—Het zou gaan regenen, zei ik bezorgd; dus doe een lange jas aan.

Maar die hebben zij niet, dus mocht hij de regenjas van mij en zij die van mijn vrouw.

Lang zwaaiden wij hen na. Wij zagen onszelf wegfietsen, in de richting van 1960.

Op zulke momenten zet ik altijd een pot thee en zoek ik een CD die mijn stemming onderstreept, maar mijn vrouw wou even geen muziek, schonk zichzelf een glas whiskey in, sloeg haar boek open en sloot zich af.

Ik bleef nog wat voor het raam staan kijken. Misschien waren zij iets vergeten en kwamen ze nog even terug. Ik had een jogging-broek aan, maar in geen weken iets aan mijn conditie gedaan. En een T-shirt. Daaroverheen mijn oude ochtendjas, die 's avonds kamerjas heet.

De hond zuchtte diep.

Mijn vrouw sloeg haar boek dicht; zij had het uit. Zij keek rond alsof zij ons huis voor het eerst na lange tijd terugzag en zei: 'Ik denk dat ik morgen de hele kamer ga veranderen.'

Blokband

Nooit van mijn leven heb ik een spannender taxirit gemaakt dan die eerste keer. Ik was acht jaar, mijn zusje vier en wij logeerden bij mijn oma en opa, aan de andere kant van Den Haag.

Wij zouden na drie dagen met de Taxi naar huis terugkeren.

Daar had mijn vader over getelefoneerd en waarschijnlijk ook nog gecorrespondeerd met de RedTax. Zo heette dat Haagse Taxibedrijf; omdat de wagens rood waren, met zwartwitte blokband. En de chauffeurs droegen glanzend versleten antracietgrijze uniformen en petten, die zij voor je afnamen wanneer je in- of uitstapte.

Het was winter en de straten waren spiegelglad. Mijn zusje en ik zaten vanaf acht uur 's ochtends op ons logeeradres voor het raam te wachten. De taxi zou om elf uur komen. Mijn vader had mij het geld voor de rit in beheer gegeven. Plus een sigaret, die ik bij wijze van fooi aan de chauffeur moest overhandigen. De papieren rijksdaalder en de papieren gulden hadden in mijn zak gebrand en de verleiding ze te besteden aan kauwgum met voetbalplaatjes had ik alleen kunnen weerstaan door mij voor de geest te halen hoe wij in dat geval de veertien kilometer naar huis moesten lopen, tijdens welke tocht wij zouden verdwalen en uiteindelijk verhongeren. Ook de aandrang om de sigaret (Miss Blanche) op te roken—het zou mijn eerste zijn geweest—had ik weten te bedwingen.

Om twaalf uur kwam de taxi de straat van mijn oma en opa ingegleden. Toen de chauffeur uitstapte, had hij moeite om op de been te blijven. Misselijk van de spanning namen wij met haastig schampende kussen afscheid van onze grootouders, struikelden de portiektrap af, namen plaats op de onmetelijk brede achterbank en reden stapvoets terug naar onze ouderlijke woning. In mijn herinnering passeerden wij tientallen kapseizende fietsers en omgevallen, nog naspartelende voetgangers. Den Haag was één grote ijsbaan.

Mijn zusje hield de hele weg mijn hand vast. Ik haalde een paar keer diep adem en dan vroeg ik of het glad was, waarna de chauffeur bevestigend vloekte. Thuis stonden mijn ouders driehoog voor het raam, maar ik deed of ik hen niet zag, want ik wilde de taxichauffeur in de waan laten dat ik alleen op de wereld was, mij over dit kleine weesmeisje had ontfermd en deze rit op eigen houtje maakte; naar een adres waar wij werk in de keuken hoopten te vinden.

Hij hield de deur voor ons open maar zijn pet op; vanwege de kou natuurlijk.

Ik pulkte de twee bankbiljetten uit mijn beursje en gaf ze hem. Hij keek ernaar en zei, ik hoor het nog: 'Nou, daar heb je godverdomme óók veel voor over zeg!'

Ik begreep toen nog niet dat zijn opmerking ironisch bedoeld was, dus antwoordde ik: 'Tot genoegen'; een uitspraak die ik als het toppunt van wellevend- en volwassenheid beschouwde. Vervolgens gaf ik hem de verkreukelde sigaret en trok hij een beetje bij. En toen stormden wij zonder omkijken de trap op en wierpen ons in de hongerende armen van onze vader en moeder.

Nadien heb ik wereldwijd honderden taxiritten gemaakt, die almaar minder stijlvol en feestelijk werden. De chauffeurspet verdween, het uniform ging uit en nog maar zelden hielden ze de deur voor je open.

En nu arriveer ik in Londen, waar ik besluit een taxi te nemen. Dan moet je je voor de poorten van Heathrow melden bij een troosteloos geüniformeerde man aan het hoofd van een sliert zwarte Austins.

Op weg naar London Center tel je iedere keer meer dichtgetimmerde panden. Er is bijna geen winkel meer die geen opheffingsuitverkoop houdt. Bij mijn eerste bezoek aan Londen probeerde ik de cabby vanaf de achterbank te betalen, shillings morsend door zijn opengeschoven raampje heen, maar die fout maakt iedere bezoeker hooguit één keer; precies zoals je op een Parijse boulevard één verregende avond urenlang loopt te zwaaien naar taxi's waarbovenop geen lampje brandt, wat betekent dat ze niet vrij zijn.

Dus stap ik eerst uit, til mijn bagage op het trottoir en vraag de chauffeur wat ik hem schuldig ben.

De ritprijs, vorig jaar nog tweeëntwintig, bedraagt nu dertig pond en de man vraagt mij wanneer ik van plan ben Londen weer te verlaten. Dan zal hij zich bij mijn hotel melden en mij, voor een speciaal prijsje, terug naar Heathrow rijden. Ter illustratie van dit voorstel dekt hij, met de kaart van Londen, sluw zijn taximeter af.

Dat het water Engeland nu zo tot de lippen is gestegen dat zelfs die keurige taxichauffeurs er Zuideuropese ronselpraktijken op na zijn gaan houden, brengt mij in verlegenheid.

Ik stotter dat ik nog niet weet wanneer ik hier weer wegga en laat, bij het graaien in mijn zakken, mijn pakje sigaretten op straat vallen. Ik raap het op en bied hem er eentje aan.

—Thank you very much, Sir, zegt hij.

—Have another one, dring ik aan.

En dat doet hij.

A new Lay of Wife

Omdat zij het zo lekker vond ruiken heeft zij als
meisje van drie op een zondagochtend om half zes
eens een stukje vlakgum in haar neus gestopt dat zij
er niet meer uit kreeg en ik ook niet, hoewel ik het
nog wel een half uur lang probeerde, eerst met een
fruitvorkje en daarna met een uitgevouwen paperclip
waarmee ik het gummetje steeds hoger en hoger op-
duwde en toen hebben wij anderhalf uur door de
polder rondgereden, op zoek naar een dokter die al
open was, zij huilend en ik biddend; maar dat is dus
allemaal goed gekomen want veertien jaar later loop
ik met mijn dochter door Londen.

Na een paar mislukte probeersels waarbij wij, kilo-
meters lang, geen van beiden hardop durven zeggen
dat wij ongemakkelijk lopen (nu eens haar arm door
de mijne, dan weer hand in hand, even later met de
armen om het middel, onze polsen onnadrukkelijk
op elkanders heup gevlijd), bewegen wij ons nu
voort met mijn rechterarm om haar schouder geslagen en mijn linkerhand losjes in mijn jaszak.

Door Kim op deze wijze door Londen te loodsen
maak ik de voorbijgangers meteen mijn status duidelijk—hier loopt een middelbare, welgestelde man van
de wereld, is waarschijnlijk voor zaken in Engeland
en heeft voor de gezelligheid en voor haar opvoeding
zijn pracht van een dochter van zestien, zeventien,
achttien meegenomen; waaraan je maar weer ziet dat
de duivel altijd op de grote hoop schijt.

Gulf, War, No Hope en Crisis koppen de kranten, maar wanneer ik haar in het gehots en geheibei van een wriemelend trottoir even moet loslaten, werp ik verstolen blikken op de uit zwartkanten lingerie barstende billen en borsten van de sekskanonnen die ernaast hangen, op de covers van de glossies. Zoals in elke grote stad verbaas ik mij over de onverschilligheid waarmee de meisjes van tegenwoordig aan dit naaktspervuur voorbijgaan. Af en toe loop ik dus een paar meter achter haar en ik moet mij inhouden om de begerig omkijkende Londenaren geen draai om hun oren te geven, of een knietje in hun kruis.

Ook je bestand aan vrienden selecteert zichzelf, wanneer je een niet uit te vlakken dochter hebt. Types die vroeger nooit naar haar omkeken en het kind verveeld opzij duwden wanneer zij haar mooie tekening kwam laten zien. Heren die pas geïnteresseerd raakten toen zij borsten had gekregen. Vijftigers die pantomiemen op de muziek, een onzichtbare gitaar bespelend, om de aandacht van haar en haar mooie vriendinnen te trekken. Nee, die vraag ik niet langer op mijn verjaardag.

Thuis, op haar kamer, hangen drie posters van Gustav Klimt, dus troon ik haar mee naar de National Gallery, waar ik een origineel schilderij van hem wist te hangen.

Dacht ik; want we verdwalen in de vierenzestig zalen en de suppoosten sturen ons behulpzaam de verkeerde kant op, zodat wij na drie kwartier dolen door wouden vol Vlaamse, Hollandse en Italiaanse meesters de moed opgeven en beginnen te proberen de uitgang aan de kant van Trafalgar Square terug te vinden, om dan maar een foto van elkaar te maken met ieder een duif op ons hoofd.

Op goed geluk slaan wij hoeken om, dalen trappen af, stappen de zoveelste zaal binnen en staan dan pats recht voor het levensgrote, door Gustav Klimt geschilderde portret van Hermine Gallia.

—Nééééé! roept mijn dochter en zij slaat een gepassioneerde hand voor haar mond.

—Ssssssst, waarschuwt de zaalwacht.

—Pappa zei het toch wel? glimlach ik fijntjes.

Tien minuten blijft zij er nagelbijtend voor stilstaan en dat doet zij niet om mij te behagen, stel ik vast met juichend hart.

Af en toe drentel ik wat meters bij haar vandaan naar 'De Baders' van Seurat, want de grote jongen die daar op de rivieroever zit en aan wiens kroppige houding je kunt aflezen dat hij deze hele zondag niet meer te water zal gaan, balt in zijn stuurse rug de wrokken samen van Werther Nieland, Holden Caulfield en Kees de Jongen.

Wanneer ik mijn dochter op deze ongelukkige puber wijs, heeft ze medelijden met hem en zegt ze dat hij een vriendin nodig heeft.

De volgende morgen wil ik nog even langs de tentoonstelling 'Egon Schiele and His Contemporaries', in de Royal Academy of Arts, vlak bij ons hotel.

—Als we geluk hebben, warm ik haar vast op, dan hangen daar een paar tekeningen van Klimt bij, want hij was tenslotte de eerste leraar van Schiele.

En jawel: zij laat zich van harte overdonderen

door drie schilderijen (waarbij het vierkante 'Tod und Leben' uit 1915) en dertien tekeningen van de meesterschilder van de Wiener Werkstätte.

—Maar je begrijpt, fluister ik docerend, dat zo'n tekening als deze, hoe heettie, 'Sitzender Halbnackt, sich auf dem rechten Knie aufstützend', dus dat je zo huppekee ziet dat ze niets onder haar jurk aanheeft...

—Dat je recht in haar doos kijkt, knikt mijn dochter; ja, wat is daarmee?

—Nou, tut ik hobbelend verder, tot aan die tijd werden vrouwen altijd geschilderd met keurig een paar plooien van het een of ander die er net overheen vielen of ze hielden zedig hun handen ervoor, maar Klimt die deed het eigenlijk veel eerlijker en directer, dus ja: die keurige Oostenrijkers vonden dat pornografie. Daar heeft hij nog een hoop gelazer door gehad.

—Wat een onzin, snuift ze; die vrouwen wilden dat toch zeker zelf? Volgens mij vonden ze het juist meesterlijk om door Klimt geschilderd te worden! Deze hier ligt er behoorlijk ontspannen bij, vind ik.

'Liegender Halbnackt nach rechts mit geschlossenen Augen (masturbierend)' lees ik met mijn bril af, onder de ijzingwekkende rode potloodtekening.

—Absoluut, knik ik heftig; zonder meer. En ik zet mijn bril weer op, voor de zoveelste keer vandaag; want dat de leesbril op mij loert merk ik vooral in musea.

—Maar zij bij voorbeeld helemaal niet, zegt ze tien meter verderop. We staan voor Schiele's aquarel 'Schwarzhaariges Mädchen mit hochgeschlagenem Rock'.

—Volgens mij vond zij het dus absoluut niet leuk, om voor die man te poseren.

—Dat zou best eens kunnen, beaam ik; maar dat komt misschien ook omdat Egon Schiele, ja, hoe zal ik het zeggen, misschien kon hij minder goed met vrouwen overweg dan Klimt. Hij was geloof ik nogal een neuroot. Maar ik vind hem eerlijk gezegd spannender. Boeiender, eerlijker, wanhopiger; ik weet niet.

—Volgens mij was het gewoon een ouwe geilo, besluit mijn dochter; en ik wou graag nog een cadeautje voor Willem kopen.

—Dat is goed, zeg ik. Ik blijf nog even hier. Laten we over een uurtje afspreken op de kamer. Weet je het hotel te vinden?

Ja natuurlijk weet zij dat. Ik krijg een zoen en daar gaat ze.

Een jaar geleden zou ik haar krampachtig hebben geschaduwd, wegduikend onder toonbanken en achter gordijnen van paskamers, maar dit tripje ontrolt zich onder zo'n gunstig gesternte, dat ik haar manmoedig laat gaan. Met mijn vrouw heb ik trouwens nog nooit zo'n rimpelloos verlopende excursie gemaakt als deze tweeënhalve dag uit en thuis met mijn dochter.

Alleen jammer dat ik gisteravond, toen we naar Alan Ayckbourns toneelstuk *Man Of The Moment* gingen (met Nigel Planer, Neil uit *The Young Ones*, in een hilarische hoofdrol), voor na de voorstelling in de buurt van het theater een tafeltje wilde bespreken in een Italiaans restaurant waar ze helemaal niet aan reserveringen deden, omdat het zo'n in- en uitloop- en afhaalzaak bleek te wezen. En die ober mij maar overdreven vriendelijk te woord staan. A table for two, Sir? For the gentleman and the lady? Sure! Half past ten you said? Perfect! Or let's prepare your table at ten twenty-five, Sir, just to be safe. Oh we are really dying to see you, Sir, Madam. Have a wonderful evening! Dit alles zonder een woord Italiaans, maar in keihard cockney. Als een schaap liet ik mij de deur weer uitbonjouren.

Buiten realiseerde ik mij dat deze poging om hier te reserveren even achterlijk was als het vragen naar de restauratiewagen in de Underground, maar geluk-kig had mijn dochter niet gemerkt hoe ik voor gek werd gezet. Spinnend van genot schurkte zij haar hoofd tegen mijn schouder en zij verbaasde zich luid-keels over de beleefdheid van de Engelsen.

Maar ik begreep het wel, want er kwam nog iets bij. Die vent dacht natuurlijk dat ik anoniem uit eten wilde gaan met een jong grietje van kantoor! Die zelfde jaloerse blikken krijg ik de hele dag in mijn gezicht gekwakt door roedels mannen die allemaal denken dat mijn dochter mijn vriendin is.

Moet je daar die ouwe vent met die lekkere jonge meid zien lopen. Getverdemme: hij had haar vader kunnen zijn!

Een goede vriend van mijn leeftijd heeft een oude moeder met wie hij ieder jaar een uitstapje naar En-geland maakt. Na de laatste keer vertelde hij mij ge-wond hoe zijn moeder de ober had geordonneerd: My son wants his steak well-done! Dat van 'mijn zoon' had zijn moeder voor het eerst tegen Engelse derden gezegd, klaagde mijn vriend, nog steeds geschokt. Want ineens had hij het begrepen: tot nu toe had zijn moeder altijd in het midden gelaten wie hij was, hopende dat ze hem zouden aanzien voor haar jonge minnaar. Maar daar was hij nu blijkbaar te oud voor geworden!

Aan de balie van het hotel vraag ik een uur later om de kamersleutel.

De kerel die steeds zo likkebaardend naar mijn dochter staat te koekeloeren heeft weer dienst; die met de touwsnor. Al zijn reacties en bewegingen zijn, opzettelijk, net iets te traag. Als je hem aanspreekt, kijkt hij rakelings langs of over je heen. Alsof hij niet als eenvoudige balienees in een hotel werkt, maar de kasteelheer zelf is, die zich de aanloop van al dit schorremorrie moet laten welgevallen.

—Can I have the key of room 206 please? vraag ik.

—The key has just been collected by the young lady, Sir, antwoordt hij, zonder mij aan te zien.

Ik aarzel. Dan weet ik ineens welke wraak hier het zoetste zal smaken.

—Oh I see, zeg ik effen. So my wife is already up in our room?

Nu kijkt hij op, met ongewild fronsende wenkbrauwen.

—I suppose so, Sir, knarst hij.

—Fine, fine! glunder ik. En ik licht mijn hielen, zweef jubelend de lift in en druk sierlijk op de twee.

Het duurt even voor de deuren zich sluiten en in deze loze seconden blijf ik voldaan naar de balie kijken. De receptionist staat woedend aan zijn zak te krabben.

Johan Meier

Op weg naar Vlindelo, waar ik de woonkamer van mijn ongehuwde nicht opnieuw zal behangen, neem ik de afslag naar Asem, Koeslag, Lommel en Klein Peensel.

In Lommel woonden, tot zij in negentienhonderdzestig een week na elkander overleden, oom Fuut en tante Bas. Die waren daar geboren. Ik vond dat eng, een vrouw met de naam van een man. Ik wist niet dat een mens zijn naam van zijn ouders kreeg, maar dacht dat je ermee werd geboren en dat tante Bas in het echt een man was en dat zij daarom geen kinderen hadden; zoals ik ook geloofde dat vrachtwagens nooit bekeuringen kregen en dat je je hele verdere leven scheel bleef wanneer je met opzet naar het puntje van je neus keek zolang de klok twaalf uur sloeg.

Hoewel ik vele malen vaker door oom Fuut werd uitgenodigd, ben ik tussen mijn zesde en mijn tiende hooguit een keer of drie bij hen wezen logeren, want mijn bed op zolder rook misselijk naar appels en ik moest er spelen met jongens die ik bijna niet verstond. Ik leerde ze Haagse schoolpleinversjes, om indruk te maken.

Uit het raam van mijn kamertje kon ik de kerktoren zien. Tante Bas wilde mij steeds leren hoe laat de klok stond, maar dat wist ik al. Zij had lange zwarte haren in haar oor. Ik zie nog de brandweer die dode man opdreggen, uit de rivier. Helemaal blauw en opgezwollen was hij. Dat riviertje heette de Peul.

Naast het huis was een putje waar ik op een keer mijn portemonneetje in had laten vallen, wat ik niet durfde te zeggen. Tante Bas merkte wel dat er wat mis was en zei voor het slapen gaan: zeg het dan maar zachtjes in mien oor. Maar daar had zij die haren. Vijfendertig cent zat erin, drie dubbeltjes en een stuiver.

Bij het binnenrijden van Lommel voel ik dezelfde prettige zenuwen als wanneer je, voor het eerst die dag en zonder dat zij jou in de gaten had, op het schoolplein het meisje zag lopen op wie je verliefd was. Dan werd het leven je even te groot, durfde je niet in één keer te kijken, maar genoot je haar in drieën of in vieren.

Lommel valt me mee. Het boze oog van de stadsvernieuwers heeft er nog niet al het moois van af gekeken. De kerk herken ik. Ik reken terug vanaf de torenklok, rijd stapvoets naar de plek waar het huis van Fuut en Bas zou moeten staan en eindig voor de glazen pui van een tapijthal.

Het adres was Peulse Pad 17, ik weet het zeker. Burgemeester Dingelmansdreef, heet het hier nu: Burgemeester H.A.M. Dingelmans, 1917-1983. Doelloos rijd ik nog wat blokjes rond. Zo beland ik op de dijk, waar ik stop voor café Peulzicht.

Er staat mij vaag iets bij van een keer een flesje met oom Fuut hier. Perl was het en daar hadden ze een fietsenrek van. Het staat er nog. Hard roepende en vloekende mannen die steeds met hun biljart-queue op de vloer stampten. Ik stap een interieur van mijn eigen leeftijd binnen. Het biljart staat er ook nog.

De aanwezige bezoekers kijken nieuwsgierig naar mij om. Vijf paarse mannen zijn het, aan een grote ronde tafel, in openhangende, lange leren jassen. Zij zien er kerngezond uit, maar lijken mij voor het uur van de dag behoorlijk dronken.

—Goedemorgen samen! roep ik, op de joviale toon die ik ook altijd aansla tegen honden waar ik niet helemaal zeker van ben.

—Goddemarge! blaffen er twee, zonder de sigaar uit hun mond te nemen. Wanneer ik langs hun tafel naar de toog loop, taxeren zij mij van top tot teen, met hun vette hoeden achterop hun dikke hoofden. Om mij een houding te geven blaas en wrijf ik wat in mijn handen, alsof ik het koud heb.

In Amsterdam ken ik een mannetje dat ook hartje zomer zo kouwelijk en ineengedoken beweegt, om enigszins te verbloemen dat hij maar anderhalve meter lang is.

Café Peulzicht wordt beheerd door een spichtige vrouw, ook alweer van mijn eigen leeftijd. Hoe oud je ook wordt, je komt steeds meer mensen van je eigen leeftijd tegen.

—Ach waar doe ik het eigenlijk voor, lijkt zij vanmorgen halverwege het opmaken van haar gezicht te hebben gedacht; laat voor de rest ook maar.

Op het plankje aan de spiegel achter de bar staan vijf flessen: vieux, advocaat, bessengenever, citroen-brandewijn en rode vermouth.

Ik zie géen bierpomp; de mannen drinken hun pils recht uit het flesje. Op hun stamtafel staat een leger van bruine, lege pijpjes.

—Mag ik een cappuccino? vraag ik de bazin.

Zij fronst haar kartonnen voorhoofd.

—Enkelt gewone koffie, zegt ze.

—Die koffie krijgt hem van mij! roept een van de aangeschoten Lommelaars.

—Geen sprake van! protesteer ik met een grootsteeds handgebaar. Maar men duldt hier geen tegenspraak. Nu pas zie ik dat zij niet zitten te kaarten, zoals ik bij binnenkomst dacht, maar dat er briefjes van honderd van hand tot hand gaan.

—Efkes zetten, zucht de eigenaresse en zij verdwijnt door de deur naast de bar. Ik zie een binnenplaats vol waslijnen. Vermoeid wappert zij zich een weg door een bos enorme witte en groene onderbroeken.

—En wat kom jij zo al helemaal te doen in het Lommelse? wil de hoofdman weten.

Ik leg het ze uit, beleefd en bangelijk buigend, in zo min mogelijk woorden.

Aha! Het Peulse Pad, jazeker kennen zij er dat! Dat liep van de kolenhandel van de zwabbe zo omlangs achter bakkerij lampoen tot helegaar de kop van de dijk waar teus zijn palingfuiken had, tekent er eentje met een worstevinger in de lucht. Teus heeft nooit geen fuiken in de peul gehad! roept zijn buurman verontwaardigd; dat was den kloet, die daar de fuiken terpaalde! Even valt het stil. De hoeden knauwen peinzend op hun sigaren. Dan neemt een derde spreker het woord, die ze in dronken stelligheid allemaal overdondert met de bewering dat hij aan hetzelfde Peulse pad al zeuven jaar zien veehandel had toen fuut nog altemaal mikkenies karboezen onterdoor de vlasliezen zoderdenderde! Met dieje van peensel aan alle de kopse kleppen, dus waar luldenoenou eigenlijk over! Nee, hier heeft niemand van terug.

—Zei u Fuut? vraag ik pienter; was dat Fuut van Basje?

Drie denken er van wel, twee weten er zeker van niet. De een zegt dat Fuut was getrouwd met een dochter van de oude konijn, maar volgens de ander was hem altoos vrijgezel gebleven.

De waardin brengt me mijn koffie en hun aanvoerder roept nog een keer dat die voor zijn rekening is.

—En ik speelde hier toen vaak met jongetjes uit Lommel en Asem, zeg ik en zij knikken gretig als kwiskandidaten en ze schuiven gezellig nog wat dichter naar de tafel en ik laat vijf flesjes bier brengen; en een van die ventjes, ga ik verder, een van die jongetjes die heette Johan Meier en dan zongen wij van Johan Meier Johan Meier maak je broek wat wijer! Dat had ik verzonnen, dat rijmpje, of eigenlijk meer meegenomen uit Den Haag, waar ik een vriendje had dat Peter Meier heette en tegen wie wij dat ook altijd riepen. Herinnert een van u zich soms toevallig ene Johan Meier?

Niemand reageert. Alleen de hoofdman knikt zich langzaam iets te binnen, met vlezige, trillende wangen.

—Johan Meier Johan Meier maak je broek wat wijer, maar maak hem nou niet al te wijd dat hij van je kont afglijdt! declameer ik stralend; en dan werd dat ventje kwááд! Kwááд! Zálig gewoonweg. Nee, dat waren ontzettende leuke logeerpartijen, hier in Lommel!

De vijf grote mannen zijn stilgevallen. Het lijkt waarachtig wel of ik hen ontroerd heb, met mijn jeugdherinneringen. Ook denk ik nog even dat het kopstuk van hun stamtafel zich een houding wil geven en dat hij daarom zo woest zijn sigaar uitramt in de asbak. Maar dan staat hij zonder wankelen op, blijkt twee hoofden groter dan ik hem schatte en tiert: IK was die Johan Meier, meneur!

Zesenhalf uur later laten ze me gaan. Ik moet vijfenzeventig bier afrekenen. Dus ook nog scheef behangen.

Tweegenkomen

Het doet er niet toe hoe lang je er bent.

Er zijn geen regels voor en je kunt het niet afdwingen. Het overkomt je of het overkomt je niet.

Het verschijnsel is beschreven in de *Exercices de Style* (1947) van Raymond Queneau. In deze door Rudy Kousbroek ongenaakbaar vertaalde *Stijloefeningen* vertelt Queneau op negenennegentig literaire manieren steeds hetzelfde verhaaltje: een man ziet op straat een andere man, iets in diens kleding valt hem op en later op de dag ziet hij, elders in de stad, die zelfde man nog een keer.

Omdat in het buitenland alles nieuw en anders is, maak je er meer kans op zulke dubbel-ontmoetingen dan thuis, waar je met oogkleppen over straat gaat; terwijl je hier alle passanten bekijkt met ogen als dobbelstenen.

In deze staat van verhoogde paraatheid kan het gebeuren dat je in de loop van een dag dezelfde man of vrouw twee keer tegenkomt, zelfs in een miljoenenstad als Parijs.

Je kunt die kans op tweegenkomsten vergroten door je met de metro te verplaatsen en steeds de middelste deuren van een wagon te nemen; zodat je, links en rechts kijkend, per rit zo'n honderd gezichten in je oor kunt knopen.

Zo kijkende overkwamen mij de laatste keer, binnen een week, negentien tweegenkomsten.

's Ochtends zag ik hem of haar in de ondergrondse en 's middags ontmoette ik dezelfde persoon nogmaals; bovengronds, in een heel ander arrondissement.

Zo'n tweegenkomst bezorgt je een vreemd geluksgevoel, maar ook, als je niet oppast, een verwarrende hoogmoed. Het is alsof jij de dag en de mensen en de stad regisseert en je zou zo'n tweegengekomen iemand bij zijn mouw willen pakken om het hem of haar te verklappen: jazeker, ik herken u wel! U zat vanmorgen nog op een bankje in de Jardin de Luxembourg en nu wilt u hier de Eiffeltoren gaan beklimmen. Is dat niet wonderbaarlijk?

Doe dit nooit. Wees sterk en laat niks merken, hoe verbazingwekkend de tweegenkomst in kwestie ook moge zijn.

Nog opwindender zijn drievoudige ontmoetingen waarbinnen je een ontwikkeling kunt waarnemen; de kostbare, opwindende driegenkomst.

Het was een groepje jonge Japanse toeristen dat, in tegenstelling tot hun volwassen gids, geen camera meer om de nek droeg.

Ze waren met zijn achten en ik zag ze voor de eerste keer in het metrostation Bastille. We namen dezelfde lijn en ik deed mijn best de vier jongens en vier meisjes, allen rond de zeventien, tot stelletjes terug te schroeven.

Hoorde die langste Japanse jongen, met zijn hand lager dan nodig aan de stastang, zodat hij de pols van dat poezige popje half overlapte, voor de duur van deze reis bij haar? Maar zij gaven geen krimp en ik moest er hier trouwens uit.

Drie uur later kwam ik hen tweegen op de Boulevard des Italiens; met zijn allen op een terrasje. Ze hadden elk een cola voor zich staan. De Japanse reisleider dronk bier. De twee die ik graag gekoppeld had willen zien zaten weliswaar naast elkaar, maar van hun gezichten kon ik weer niet aflezen of dit bij toeval dan wel met opzet was.

Drie uur later, in het Musée Rodin, zie ik ze voor de derde maal en durf ik te vermoeden dat die ene jongen en dat meisje iets met elkaar hebben, gelukkig; zij lijken zich nu duidelijk te hebben afgescheiden van de rest. Wel heeft zij, om de hartstocht van Rodin het hoofd te kunnen bieden, een vriendin in de arm genomen. De andere vijf leden van hun gezelschap zijn uitgewaaierd over de volgende zalen en de gids is hen gevolgd, maar die ene Japanse jongen is bij de twee meisjes gebleven. Hij raadpleegt zijn catalogus en leest: 'Femme nue sur le dos, maintenant les jambes en l'air.'

De beide meisjes vechten met strakke gezichtjes tegen de slappe lach, die al moet hebben ingezet bij 'Femme nue debout, tournée vers la gauche, jambes croisées'.

Maar hij geeft geen krimp, drentelt er kritisch omheen en doet of hij dit werk net zo weinig erotisch vindt als een standbeeld van een vorst te paard, terwijl hij zich intussen koortsig afvraagt of zijn kleine, giechelende reisgenote bereid zou zijn om vanavond, op kamer 216 van de Holiday Inn op de Place de la République, speciaal voor hem deze door Rodin versteende pose aan te nemen.

Ik sta slinks gebogen over een vitrine met tekeningen, smul met een half oog van een 'Femme nue allongée sur le ventre, une main au menton' en zie ze intussen met hun drietjes verdwijnen in de volgende zaal, die beheerst wordt door De Kus. De jongen gaat ervoor in de houding staan, bladert in zijn gidsje en besluit, om alles op zijn serieust te kunnen zien, tot een afstand van anderhalve meter. Ingehouden proestend triptrappen de twee Japanse tieners zich bij hem.

Maar nu maakt het kleine meisje dat ik hem al de hele dag heb toebedacht zich los van haar vriendin, gaat naast hem staan en legt teder haar hand op zijn heup; waarmee zij, vergeleken met het beeld waar ze allebei voor staan, brutaal de rollen omdraait.

Hij weet niet meteen hoe hij op deze avance moet antwoorden, maar besluit de hem geboden kans niet te versmaden en kantelt aarzelend zijn bekken; zodat haar hand nog net iets wufter komt te rusten dan Rodin haar hakte.

Het andere meisje is intussen omgelopen; zogenaamd om De Kus vanaf de andere kant te bekijken, maar in werkelijkheid om haar vriendin en face in bloei te zien staan.

Kunst is alleen al onmisbaar omdat zij kan verwoorden wat we elkaar niet vis-à-vis durven zeggen.

In vino pancreas

Dat ik rook weet ik nu eigenlijk wel zeker, maar daarnaast ben ik bang dat ik drink.

Gelukkig is sinds enige tijd de Wine Saver te koop; een spuitbus gevuld met een mengsel van stikstof en koolzuurgas, waarmee men aangebroken verpakkingen van eet- en drinkwaren kan afsluiten van de zuurstof in de lucht.

De Wine Saver werkt principieel verschillend van de Vacuvin, die al langer op de markt is. Met de Vacuvin wordt de lucht boven de wijn weggepompt en ontstaat er een vacuüm. Een zekere hoeveelheid geurstoffen van de wijn zou in dat vacuüm verdampen en verloren gaan; de Wine Saver nu, heeft dat nadeel niet.

Omdat het mij met de Vacuvin nog nooit gelukt was een aangebroken fles wijn te bewaren, heb ik mij onmiddellijk een Wine Saver aangeschaft; maar ook dit apparaat voldoet niet.

Bij het avondeten trekken mijn echtgenote en ik steevast een fles wijn open en die gaat, als volgt, schoon op: ik open de fles, de kurk breekt af en het restant duw ik met mijn pink, waaromheen ik een servet heb gewikkeld, terug in de fles.

Nu schenk ik eerst mijzelf een bodempje wijn in, om mijn vrouw voor kurkkruimels te behoeden, en vervolgens giet ik haar glas voor driekwart vol. Daarna vul ik het mijne tot aan de rand. Bij het neerzetten van de fles kijk ik onwillekeurig hoeveel er nog in zit en dit blijf ik met een schuin oog gedurende de hele maaltijd doen.

Voortdurend schenk ik mijn vrouw bij, ook wanneer haar glas nog maar half leeg is, waarna ik mijn eigen, geheel lege glas, weer helemaal vol mag schenken.

Ik drink met opzet meer dan ik eet, zodat ik, omdat de maaltijd nog niet is beëindigd, gerechtigd ben een tweede fles wijn open te trekken. Dit doe ik om de hoek van de kamerdeur; zoals je een wind laat die niemand mag horen.

Het grappige is nu dat ik deze kurk er wel in één keer en in zijn geheel uittrek, waardoor de wijn ontegenzeglijk beter smaakt.

Daarom zou het zonde zijn halverwege deze fles een Wine Saver of Vacuvin te gebruiken, want in dat geval neemt de ware wijnkenner de volgende dag zeer beslist een smaakverschil waar.

Daarom drink ik ook deze tweede fles helemaal ad fundum, mijn vrouw af en toe vergoelijkende scheutjes bijschenkend. Wanneer hij leeg is begin ik een gezellige ruzie over het een of ander. Dan gaat mijn vrouw naar bed, zodat ik in mijn eentje en in alle rust een derde fles kan opentrekken en soldaat maken.

Wat zijn dat toch voor mensen, die een aangebroken fles wijn tot morgen of zelfs tot overmorgen kunnen bewaren?

Ik begrijp ze niet.

Door toedoen van de Japanners, die het gehele

Bordeaux-gebied opkopen, is een fles wijn die vandaag de dag twintig gulden doet, over vijf jaar misschien wel dubbel zo duur.

Dit betekent dat iedere slok die u tegen die tijd
van deze zelfde fles zou nemen, u welbeschouwd
twee keer zoveel kost. Hoe sneller u uw dure flessen
wijn dus opdrinkt, des te meer geld u zult besparen.
Daarom jagen zowel de Wine Saver als de Vacuvin,
alle goede bedoelingen ten spijt, u in feite alleen
maar op kosten!

Wel ben ik van mening dat, zoals drugsverslaafden
gratis spuiten verstrekt krijgen, de overheid aan wijn-
drinkende zwervers een gratis Vacuvin of Wine Saver
zou moeten uitreiken; zodat deze ongelukkige alco-
holverslaafden hun drankgebruik zoveel mogelijk
binnen de perken kunnen houden.

Van krantenjongen tot miljonair

Holland. 1993. Het gebrek aan krantenbezorgers is zo nijpend, dat de Nederlandse dagbladen zich via televisiecommercials en advertenties nog steeds in de platste bochten wringen om gezonde jongens een paar uur eerder uit bed of een uurtje later aan tafel te krijgen teneinde, ik citeer hun onderzoek: 'werk te doen met een slecht imago, waarbij de betrokkenheid bij de krant gering is, de arbeidsomstandigheden slecht zijn (storm, regen, kapotte fiets, bijtende honden) en de honorering niet geweldig; gemiddeld tussen 175 en 250 gulden per maand.'

Op de dag dat wíj dertien jaar oud werden kregen wij een reep bittere chocolade, een nieuwe onderbroek en een krantenwijk.

Die krantenwijk lag per definitie aan het andere einde van de stad en onze betrokkenheid bij de in de bus te proppen krant was eerder nihil dan gering; ik stamde uit een heidens gezin, maar bezorgde even zo vrolijk het rooms-katholieke dagblad *Het Binnenhof*.

In gedachten kan ik die krantenwijk nog huis voor huis nalopen, door hagelbuien en slagregens, want mooi weer kenden wij toen nog niet, zo min als de giro; zodat het abonnementsgeld door het bezorgertje zelf moest worden geïnd.

Een thuisbezorgd avondblad kostte destijds negenenvijftig cents per week. Vier à vijf van mijn honderdachtenzeventig abonnees gaven mij 's zaterdagsmiddags zestig cent en dan zeiden ze 'laat maar zitten, krantenjongen', waarna ik elke week opnieuw 'dank u wel mevrouw, meneer' stamelde en mij buigend verwijderde, want van een officiële honorering was nog geen sprake: die schamele tipjes van hier en daar een cent vormden, tezamen met de nieuwjaarsfooien, je hele salaris.

Een enkele geluksvogel mocht voor het lopen van zijn krantenwijk de fiets van zijn moeder lenen, maar het merendeel van ons haveloze leger bestellertjes deed zijn werk per autoped of te voet, waardoor bijtijds ontsnappen aan bijtende honden was uitgesloten en je als regel bloedend achter je huiswerk zat. Maar je deed het voor de eer, want vanachter hun geraniums zagen de abonnees hunkerend naar ons uit, aangezien de krant in die jaren van wederopbouw uitsluitend positief nieuws bevatte.

Op straat wemelde het nog van de paard-en-wagens waarmee zakken antraciet en staven ijs werden rondgebracht en schillen opgehaald en zevenmaal heb ik een op hol geslagen paard bij de teugels moeten grijpen en mij honderden meters laten meesleuren, met een spoor van verwaaiende katholieke dagbladen in mijn kielzog; intussen het schuimbekkende dier kalmerend toesprekend om het tot stilstand te brengen en daarmee de buurt, mijn wijk, voor een ramp te behoeden.

Zulke heldendaden haalden je eigen krant niet eens, want het werd als de normaalste zaak van de wereld beschouwd dat de krantenjongen in één moeite door opereerde als onbezoldigd wijkagent, EHBO'er en sociaal werker.

In de Milletstraat 58 tweehoog, ik zie de dode planten nog voor me, bezorgde ik mijn krant bij twee oude, blinde dames aan wie ik hem elke avond in zijn geheel voorlas en het sprak vanzelf dat ik 's winters, wanneer het water van de Suezkade (de nummers 14, 26, 89 tweemaal, 124 en 185) bevroren was, een oude houten ladder op mijn stepje meezeulde om plat op het ijs te kunnen leggen, naar in wakken belande kinderen toe te tijgeren en hun het leven te redden. Van de directie van *Het Binnenhof* mochten wij alleen verdrinkende, katholieke kinderen van abonnees te hulp schieten, maar dat bevel sloeg de ware krantenjongen vanzelfsprekend in de wind.

Verder hielp je auto's aanduwen, riepen bange en alleenstaande vrouwen je binnen om spinnen onder hun bed of tussen hun borsten vandaan te plukken, ontstopte je gootstenen, doofde je schoorsteenbranden en tilde je ontspoorde schuifdeuren terug in de rails.

Dwars door mijn krantenwijk liep bovendien een lokale spoorlijn en hier heb ik nog eens een jongetje vlak voor een aanstormende trein vandaan gesleurd. Zijn schatrijke vader was mij zo dankbaar dat hij me vroeg of ik misschien met een uitvinding bezig was, dan zou hij de verdere ontwikkeling daarvan geheel financieren, maar in mijn aangeboren bescheidenheid vroeg en kreeg ik als beloning het boek *Alleen op de wereld* van Hector Malot, waarin ik las dat het altijd nog erger kon, wat mij mijn lot als krantenjongen voor lief deed nemen. En achteraf is de verzoening met de doorstane verschrikkingen en ontberingen natuurlijk volledig: wanneer ik in mijn krantenwijk geen mensenkennis en relaties had opgedaan, niet had leren afzien en niet, al bezorgend, elke dag van A tot Z de krant had gelezen, was ik nooit miljonair geworden.

Dit geldt voor alle geslaagde mannen van mijn generatie—er is geen grote zakenjongen bij die niet als kleine krantenjongen is begonnen.

En allen vervulden wij onze militaire dienstplicht, die toen nog achtenveertig maanden duurde.

Maar over deze stichtende hel graag een volgende keer, want mijn zoon speelt deze week om het provinciaal snookerkampioenschap en ik neem zolang zijn krantenwijk waar.

Mechelen

Mijn moeder mocht mee naar Mechelen, want ik stond nog bij haar in het krijt, vanwege een vervallen uitje.

Een half jaar geleden had zij een weekje op ons huis en de jonge honden gepast, maar tijdens het aangelijnd uitlaten was zij ondersteboven getrokken door de domste van de twee, die nog niet wist dat hij behalve voor- ook achteruit kan lopen.

Een paar keer per dag manoeuvreerde deze nieuweling zich klem. Binnenshuis moesten wij hem dikwijls helpen, door een belemmerend kastje opzij te schuiven, of te demonstreren, door hem bij zijn achterlijf op te tillen, hoe hij zich om kon draaien; maar in het bos was hij in zijn opwinding niet voor rede vatbaar. Wanneer hij bij voorbeeld een omgevallen boom op zijn pad vond, kwam hij niet op het idee hier omheen te lopen, maar begon hij er piepend overheen te klauteren; om daarna huilend op hol te slaan, de uitlater met zich meesleurend.

Dit overkwam dus ook mijn moeder.

Zij klampte zich met twee handen vast aan de riem en liet pas los toen zij, stuiterend over het bospad, twee scheurtjes in haar bekken had opgelopen. Plus een verstuikte pols, een gekneusde elleboog en twee dikke lippen.

Toen wij gezond van vakantie terugkeerden, lag zij in ons streekziekenhuis. Na twee weken mocht zij

eruit, maar moest nog anderhalve maand revalideren.
—Gaat het nu weer een beetje, lieverd?
—Ja hoor. Als jullie nu maar niet denken dat ik het niet meer kan, oppassen, want ik wil me zo dolgraag nog een beetje nuttig blijven maken.
—Ben je gek, natuurlijk niet! Maar eerst gaan we lekker samen naar Mechelen; want daar moet ik voorlezen, in het Poppentheater.

De eerste avond aten wij aan de grote markt, in het café-restaurant van Raymond Ceulemans.
—Het lijkt wel of we al een week van huis zijn, zei mijn moeder; nou kan ik er thuis weer twee weken tegen.
    De volgende morgen, aan het ontbijt in het Alba Hotel, informeer ik handenwrijvend waar zij zin in heeft, want het regent.
—Wat zullen we gaan doen? vraag ik energiek; wou je nog wat winkelen of zullen we de Romboutska-thedraal bekijken, voor we terugrijden?
—De kathedraal, besluit mijn moeder. Zij verkiest musea boven warenhuizen.

Het is tien uur in de ochtend. Victor Hugo schreef dat deze kathedraal een kanten hemd draagt—zo verfijnd vond hij de stenen vensterkruisen rond de glazen ramen.
    Het kerkinterieur is leeg, op een Marokkaanse schoonmaker na.
    Mijn moeder knoopt onmiddellijk een gesprek met hem aan, in stereo. Dat die arme jongen in zijn eentje de hele kerkvloer moet aandweilen, terwijl hij zelf misschien geeneens katholiek is!

43

Gestreeld begint de jongeman voor gids te spelen en hij wijst ons op de kansel: een monumentaal beeldhouwwerk, uit een massale boomstam gebeiteld.

—Ach god kijk nou toch, roept mijn moeder vertederd; hier heeft hij een slakje uitgehakt!

—Heb je die eekhoorn zien zitten? wijs ik haar en ik aai zijn door duizenden bezoekers gladgestreken pluimstaart. Deze preekstoel is één groot lofdicht op de schepping en wij schuifelen er een bewonderend kwartiertje omheen.

Mijn moeder zucht dat het eigenlijk jammer is dat wij van huis uit helemaal niks zijn en dat zij, als ze dit ziet, best katholiek had willen wezen, maar dat het daar nu natuurlijk te laat voor is.

—Jij moet gewoon jezelf blijven, adviseer ik haar.

—Positief denken, zucht mijn moeder; anders weet ik het ook niet.

—Geef me maar een arm, zeg ik, als we de drie treden naar het achterschip bestappen, zoekend naar de twee Van Dijcks die hier ergens moeten hangen.

De eerste twintig meter houdt zij mij gehoorzaam vast, maar het is alsof ik met een schoolkind uit ben—zo ongedurig schiet haar blik heen en weer en zo graag wil ze alles van dichtbij bekijken.

Ik laat haar los en slenter een paar meter voor haar uit, tersluiks op mijn horloge kijkend, want ik was vandaag nog meer van plan.

Als ik omkijk staat zij op een grafsteen, die zij spelt.

—Achtenveertig jaar maar geworden, rekent zij hardop.

Wij ronden de bocht en lachen om de aan de voet van iedere beeldengroep terneerliggende, grote platte hoeden waar de steenwerker geen hoofdruimte in heeft uitgehakt.

—Daar had hij zeker geen zin meer in, peinst mijn moeder; nou, ik kan het me voorstellen.

—Je zal maar een massief granieten hoed op je hoofd moeten, zeg ik, en zo, met kleine grapjes, houd ik onze stemming aangenaam kabbelend.

Zometeen in de auto zal ik Wim Sonneveld voor haar opzetten.

—Nou meid, we moeten gaan, waarschuw ik; dan drinken we eerst lekker koffie en dan zien we wel weer verder.

—Prachtig was het! roept mijn moeder; god wat ben ik blij dat ik dit nog heb mogen zien!

—Vauban noemde de toren van deze kathedraal het achtste wereldwonder, weet ik te vertellen en dan kijkt mijn moeder nog een keer om terwijl ze in mijn richting loopt, waardoor zij de drie treden mist die ik al ben afgedaald en zij in het niets stapt en schuin voor mijn voeten op de kerkvloer plettert.

—Godverdomme Annie nou toch! jammer ik panisch.

De schoonmaker holt naderbij en samen helpen wij mijn moeder overeind. Ze perst haar lippen op elkaar van ijselijke pijn.

—Niks aan de hand, het gaat wel het gaat wel, steunt ze, maar het gaat helemaal niet, want zij kan niet meer op haar benen staan en ik moet haar naar mijn auto dragen en erin tillen.

Ik rijd twintigduizend francs en zevenhonderd

gulden aan snelheidsovertredingen bij elkaar en wiel mijn moeder een uur later het ziekenhuis binnen waaruit zij een half jaar tevoren was ontslagen.

Eerste Hulp. Foto's. Rechterheup op drie plaatsen gebroken.

—Zijn het mooie breuken, dokter? vraag ik als een kenner.

—Gelukkig zijn het hele mooie fractuurtjes, mevrouw, maar er moeten wel zo snel mogelijk drie schroeven in uw heup; het liefst vanmiddag nog.

Een opvangzuster loopt de vaste vragenlijst met mijn moeder langs en ik hoor, met kindertranen in mijn ogen, haar leven aan mij voorbijtrekken.

Geboren twee vier negentientien. Bloedarmoede, bronchitis. Bloeddruk? Honderdzestig negentig. Vaak slapeloosheid. Maar ontlasting normaal. In negentieneenenvijftig een operatie aan de schede, hoor ik mijn moeder zeggen. Heb ik nooit iets van geweten. En rookt u, mevrouw? Vijf sigaretten per dag, hoor ik haar jokken.

Wanneer ze aan het einde van de checklist zijn gekomen zegt mijn moeder: En wilt u erop zetten dat ze alstublieft mijn tanden indoen?

—Hoe bedoelt u? vraagt de zuster.

—Mijn gebit, verduidelijkt mijn moeder. Dat ze dat er niet uit halen, als er iets misgaat met de narcose. Dan heb ik zo'n vreselijk ingevallen mondje, als ik dood ben.

'N.B. ten allen tijde tanden terug in patiënt', noteert de verpleegster en dan gaat ze een en ander in gang zetten.

Wij blijven samen achter.

—Jezus mam, ik vind het zo verschrikkelijk voor je, zeg ik en ik verpak haar handen in de mijne.

—Ben je gek, zegt mijn moeder; ik vind het alleen zo erg voor jullie, al die rompslomp weer. Maar nou zie je maar hoe heerlijk het is dat ik helemaal alleen ben en geen hond of kat heb. Als jullie misschien alleen eenmaal per week de planten water kunnen geven.

—We komen elke dag op bezoek, beloof ik.

—Als je het maar uit je hoofd laat, zegt ze streng.

Stilte.

—Het moest gebeuren, besluit ze; het is vast wel ergens goed voor.

—Je busreis kan nou ook niet doorgaan, bereken ik. Wanneer zou je vertrekken?

—Tien oktober, schrikt ze; nee, dat valt in het water. Maar niks aan te doen nou eenmaal.

Mijn moeder zou, voor het eerst in haar eentje, deelnemen aan een vierdaagse reis naar Kassel, omdat ze zo graag nog een keer in haar leven naar Duitsland wilde. Mijn vader had dit altijd verdomd en ik las nooit voor in het Duits.

—Wie weet was er wel een ongeluk met die bus gebeurd, verzin ik, want haar positieve fatalisme werkt aanstekelijk.

Mijn moeder veert even op en valt dan krimpend van de pijn weer terug.

—Ja verdomd! zegt ze gretig; dat zul je altijd zien. Wil jij de krant voor me in de gaten houden straks, of er iets in staat over een Nederlandse touringcar in een ravijn of zo?

Verneukt

Gedwarsboomd door het taalprobleem geef je te goeder trouw gehoor aan het een of andere vage verzoek, half begrijpend sta je iemand te woord, bereidwillig ga je in op een onduidelijke toenadering en plotseling vallen je de schellen van de ogen en voel je de grond onder je voeten wegzinken; je staat onvergetelijk voor lul.

Ik was gewaarschuwd voor Bali. Natuurlijk waren er in het binnenland nog ongerepte plekken en wordt vrouwen die hun maandstonden hebben de toegang tot de hindoeïstische tempelhoven nog altijd ontzegd, maar de kust zou langzamerhand de Costa Brava zijn geworden.

Dat bleek niet helemaal waar; mijn informanten hadden overdreven. Toch blij dat ik hier alleen maar op doorreis was.

Zo is het onmogelijk over de boulevard van Kuta Beach te lopen zonder om de vijf meter staande te worden gehouden door jongens die je voor tien dollar een Rolex pogen te verkopen. Wanneer je weigert, gaandeweg bitser, offreren zij je hun complete showdoos met circa tweehonderd nephorloges en valse aanstekers voor honderd dollar. Of wilt u namaak Chanel 5 parfum, fake Lacoste-shirts, pseudo Parker-pennen? U zegt het maar.

Dus vlucht je snel de zee in.

Daartoe moet je over het kokende zandstrand langs tientallen Balinese meisjes en vrouwen slalommen, om niet ten prooi te vallen aan hun grijpgrage vingers die je voor twee dollar een onvergetelijke massage beloven.

Eenmaal te water en veilig vijftig meter uit de kust geraakt, werd ik van verre, Sir! Sir!, aangeroepen door een mooie, maar zorgelijk kijkende jongeman die kennelijk problemen had, want hij wees opgewonden onder water. Hulpvaardig als ik ben, spartelde ik zo snel ik kon in zijn richting.

Toen ik hem tot op twee meter was genaderd, veranderde zijn gelaatsuitdrukking van verschrikt in extatisch en vroeg hij, zorgvuldig articulerend:

—You wanna blowjob Sir?

—Nono, salamat pagi, antwoordde ik in mijn zenuwen en met een rood en bonzend hoofd waadde ik terug naar het strand. Daar wordt u meewarig aangestaard door ordinaire dikke Duitse nichten, want Bali is the poor man's Thailand en dat zit daar in epaterende tanga's de hele dag te wachten op de hun aangeboden lokale hand- en spandiensten. Sommigen zijn zelfs de tanga voorbij en dragen niet meer dan een goud- of zilverkleurige kurk in de anus.

Ik besloot even op bed te gaan liggen om tot rust te komen en ging in een sukkeldrafje door de minutieus aangelegde tuinen op weg naar onze cottage.

—Sir! Sir! hoorde ik roepen. Eerst zag ik hem niet, maar toen dook hij met een heggeschaartje op vanachter een bloeiende hibiscus.

Het was een tandenblikkerende, jeugdige tuinman, zoals er daar tientallen rond de duurdere hotels zwermen. Ze verdienen een gulden per dag, dus je kunt het ze niet kwalijk nemen dat zij iets bij proberen te verdienen aan middelbare toeristen van beiderlei kunne.

—Yes? vroeg ik argwanend; what is it boy?

Zijn tong schoot slangesnel naar buiten, hij keek schichtig om zich heen, likte toen cirkelend zijn lippen en vroeg hitsig: You wanna suck me Sir?

—Nono, terima kasih, zei ik en naar mijn gevoel slaagde ik er in vermoeid en wereldwijs te glimlachen.

—Misschien goed idee voor kort vakantieverhaal, dacht ik, met knikkende knieën mijn weg vervolgend; man begrijpt dit voorstel niet, neemt aandringend tuiniertje mee naar kamer, vrouw is souvenirs kopen, man wordt als nooit tevoren gepijpt en probeert later op de avond behoedzaam zijn niet-begrijpende echtgenote de die middag ervaren fellatiotechniek bij te brengen. Maar arme vrouw krijgt hem niet onder de knie en man gaat volgende morgen hongerend op zoek naar zelfde tuinman.

Terug in Holland vertel ik mijn kinderen drie weken later onder grote hilariteit wat ik op Bali heb meegemaakt en hoe ik me daarbij voelde.

—Ik weet wat je bedoelt, knikt mijn zoon van twintig hardop; toen ik een jaar of vier was speelden we in de tuin en pestte ik een buurjongetje.

—Petertje, herinner ik mij, want ik weet wat er gaat

komen en nog altijd schrijnt mijn hart van spijt om wat ik toen misdaan heb.

—En jij riep mij, gaat hij peinzend verder; heel vriendelijk riep je mij en ik kwam gehoorzaam aanlopen en toen ik bij je was gaf je me een keiharde draai om mijn oren.

—Ik weet het, zeg ik zachtjes, met mijn ogen dicht.

Mijn zoon strijkt over zijn rechterwang.

—Ik voel hem nog, zegt hij.

De andere wang

Terugkerend van een avond in de provincie kwam het mij wel goed uit dat het stoplicht bij de afslag Naarden op rood stond, want hoorde ik daar om half drie 's nachts niet de raadselachtige Tommy Turk op de autoradio?

Jawel, dat moest hem zijn: de bij een schietpartij in Las Vegas om het leven gekomen trombonist, die een paar keer toerde met de JATP-groepen van Norman Granz en in 1949 meeblies met Charlie Parker en Lester Young, in het legendarische Carnegie Hall Concert. En deze energieke stijl en fraai gekartelde toon waren duidelijk van Turk, maar het nummer kende ik niet.

Ik bukte mij om te kijken wie dit uitzond, want ik heb nog altijd mijn voorkeurzenders niet geprogrammeerd en ken evenmin de FM-metrage uit mijn hoofd.

Daar ging ik nu voor gestraft worden, want links werd er op mijn raampje geklopt. Ik kwam overeind en zag in het nachtduister een stevige mannenromp die langzaam zoekend ronddraaide. De nacht verbroedert en hij was kennelijk de weg kwijt, dus zoemde ik met een glimlach mijn raampje naar beneden, knikte behulpzaam en zei goedenavond. Goedenacht zeg je nooit.

Toen zei de man: 'Het is groen lul!' en voordat ik mijn mond kon opendoen, haalde hij uit en plantte zijn vuist recht in mijn gezicht. En nog een keer. In totaal een keer of vier, ik weet niet meer, want was meteen half van de wereld.

Ik heb geloof ik nog wel geprobeerd hem af te weren en vast te pakken, maar niks, geen schijn van kans; ik zat klem in mijn eigen raampje, met een mond vol bloed. Het volgende moment een rode auto vol zwarte gestalten, die optrok en langs mij heen de nacht in spoot. Ik kon geen nummer zien; de weg tolde en alle sterren vielen. Mijn tong telde trillend mijn tanden en ik durfde niet in mijn spiegeltje te kijken. Geen tissues in de auto.

Met een slakkegang reed ik tussen wankelende, flabberende bomen naar huis, waar mijn kinderen nog op waren, net terug van een eindexamenfeest.

Wanneer ik de keuken binnenwankel moet mijn dochter overgeven, maar mijn stressbestendige zoon tilt mij terug in mijn auto en rijdt me naar de Eerste Hulp van ons nieuwe streekziekenhuis.

—Waar is mamma? vraag ik.

—De hele week al in Den Haag, dat wist je toch? antwoordt mijn dochter, verbaasd en bezorgd.

Dan weet ik het weer. Ook dat mijn moeder in dit zelfde ziekenhuis op kamer 408 ligt, met een gebroken heup. Maar die slaapt gelukkig.

Geholpen door mijn zoon vlijt de dienstdoende liefdezuster mij op haar hoge ontleedtafel. Zij vermoedt dat de man van de klap een boksbeugel heeft gedragen, of in elk geval een paar gemene ringen; want mijn neus, linkerwang, mond en kin zijn doorploegd met japen en striemen.

Mijn kinderen kijken precies zo gespannen en onmachtig naar mij als mijn vrouw en ik vroeger naar hen, wanneer wij er eentje in handen van een dokter hadden moeten geven.

Mijn lip blijkt gescheurd en wordt gehecht, de rest van de kloven alleen ontsmet en bepleisterd.

Die nacht slaapt mijn dochter op de plek van mijn vrouw in ons bed en zij houdt mijn hand vast. Af én toe knijpt zij er even in en dan knijp ik geruststellend terug.

Mijn zoon is niet gaan slapen, maar heeft zich met een boek voor de deur geposteerd, omdat de verpleegster had gezegd dat ik ieder uur wakker moest worden gemaakt om te controleren of ik niet toevallig buiten westen was geraakt.

—Pap? schudt hij elk half uur schuw aan mijn schouder; ben je er nog?

En dan zeg ik: Ja hoor knul, en dan krijg ik van mijn dochter een vers kopje water. Ik geniet met volle teugen.

Het heeft een grote bekoorlijkheid iets te mankeren waarvan je zeker weet dat het over zal gaan.

Een paar weken lang wentel je je behaaglijk in het medelijden van je dierbaren en bovendien heb je eindelijk weer eens iets te melden.

Heb ik je al verteld wat mij de vorige week is overkomen?

—Je was statistisch gezien gewoon aan de beurt, zegt mijn huisdokter. En hij vertelt hoe hij zelf, wanneer hij 's nachts op ziekenbezoek is geweest, regelmatig wordt achternagezeten en klemgereden door brood-dronken jongens. Dan rijdt hij linea recta naar het politiebureau; dan haken ze af. Moet ik ook doen.

En de helft van mijn vrienden en kennissen is al eens een keer zomaar om niks in elkaar geslagen en de andere helft heeft een broer of een neef wie een maand geleden precies hetzelfde is overkomen. Dus als ik je nou een goede raad mag geven: nooit meer 's nachts je raampje opendoen, voor niemand! Ook overdag niet. En voordat je een grote stad inrijdt consequent je vier deuren vergrendelen. Waarom heb jij trouwens nog niet van die zwarte ruiten? En ik heb mijn moeder moeten beloven dat ik geen lifters meer meeneem en voor geen pechvogel zal stoppen.

Maar moet ik voor de paranoia kiezen? Ik zou toch juist tegengas moeten geven? Daarom heb ik besloten onze samenleving nog één kans te laten; tot de volgende klap. Daarna zien we wel weer verder.

Het vervelendste is eigenlijk dat het met deze bovenlip nog wel een jaar kan duren voordat ik, op de trombone, mijn oude embouchure terug heb. Het is dus vrijwel uitgesloten dat ik er ooit nog in zal slagen die toon van Tommy Turk ook maar enigszins te benaderen.

Great balls of fire

Guusje heette zij. Guusje Wetters; nooit vergeten.

Guusje was het enige Indische meisje van onze hele lagere school.

Zij zat, uit het niets, plotseling op de achterste bank in de vijfde; met ogen waar ik de mijne niet van af kon houden. Net of ze nog niet helemaal open waren; met oogleden die, in de bovenhoekjes van haar neus, strak gespannen stonden. Of ze nog een beetje slaap had. Grote delen van de dag zat ik achterstevoren.

In de zesde klas gingen wij op een driedaags schoolkamp, naar de grotten in Valkenburg. Op de ochtend van de tweede dag treuzelde ik net zo lang in de rij voor de afwaspomp, tot ik met mijn ontbijtbordje achter haar stond. De nacht tevoren had ik niet geslapen en in mijzelf liggen schrapen naar iets waarvan ik nog niet wist dat het moed was.

Toen vroeg ik haar of zij met mij wilde lopen. Zo heette dat, als je verkering met iemand had.

—Adoeh nee! schrok Guusje en zij rilde kort maar heftig, alsof ik een sneeuwbal in haar bloesje had laten glijden.

—Dan krijg je een kwartje, fluisterde ik schor van begeerte.

—Een kwartje? Nu werden haar ogen groter.

—Alleen in de grot, hijgde ik haastig; alleen in de grot dan met me lopen.

Guusje keek even waakzaam om zich heen, maar ze knikte, waarbij er een blauwzwart haargordijn over haar linkeroog viel.

Ik gaf haar mijn natte kwartje en mocht, in het stikkedonker struikelend over mijn bonzende hart, een half uur lang haar hand vasthouden. Ik heb hier zelfs viermaal vragend in geknepen, maar Guusje kneep niet terug.

Zodra er weer licht daagde wurmde zij zich los en huppelde terug naar haar vriendinnen, die haar gretig en giechelend omstuwden.

Nu begonnen de jaren vijftig en almaar meer Indische families emigreerden naar Nederland. Scheepsladingen nieuwe Guusjes. Op straat, op school, in het zwembad, aan het strand. Zelden op het ijs.

Toch heb ik nooit een Indisch meisje in mijn armen gehad. Jarenlang dacht ik dat de uitdrukking 'een blauwtje lopen' was afgeleid van 'blauwen', de schimpnaam die in Holland aan Indische mensen werd gegeven, maar ik heb het opgezocht en de zegswijze komt van 'een blauwe scheen oplopen'.

Achtendertig jaar later bevind ik mij voor het eerst van mijn leven in Indonesië, met zijn miljoenen Guusjes. Ik ben met mijn vrouw. Wij zijn op het eiland Sulawesi, dat onder Guusje Wetters nog Celebes heette. Op het vliegveld van Ujung Pandang, het voormalige Makassar, worden wij verwelkomd door de heer Harry P. Poncin, onze gids.

Hij stelt zich voor als Harry de harige aap en zijn glimlach zal, die ene verschrikkelijke middag buiten beschouwing gelaten, van geen wijken weten. De heer Poncin is tweeënvijftig jaar oud en al zijn zeven broers en zusters wonen in Nederland, de meeste in Capelle aan den IJssel. Weet ik wellicht hoe Ajax heeft gespeeld, de afgelopen zondag? Twee-nul? Goed zo. Hij is een Ajax-supporter, moet ik weten.

Wel, deze eerste nacht zullen wij overnachten in het Makassar Golden Hotel van Ujung Pandang en dan brengt uw reis u morgen—wij zullen gaan met dit busje, nee u hoeft zelf de kruier geen fooi te geven, en trouwens niemand, dat doe ik voor u, laat u met een gerust hart alles over aan Harry de harige aap, stapt u maar in, ik zal de airconditioning voor u aanzetten—naar Rantepao, het hart van Toraja-land.

Heerlijk! roep ik; slamat pagi, Harry, slamat pagi. Nee dat is goedemorgen. Terima kasih bedoel ik, dank u wel.

Kembali, glimt hij; niets te danken.

De volgende morgen gaan wij op weg, voor een alle zinnen begoochelende rit van Ujung Pandang naar Rantepao. Thuis hadden wij al veel folders geconsumeerd en foto's en video's bewonderd van vrienden die ons voor waren geweest en een maand lang hadden we alle televisieprogramma's aangekruist waarin een stukje Indonesië te zien zou zijn, maar de discrepantie tussen de gefilmde en de ware werkelijkheid is ongeveer gelijk aan het verschil tussen een zwart-wit foto en een stukje High Definition Television. Ik heb nog nooit HD-televisie gezien, maar dat schijnt iets ongelofelijks te zijn. Zo'n perfect beeld dat je er als het ware inzit. Je hoeft in feite nergens meer heen.

Maar het bestaat niet dat je al deze groenen ooit waarachtiger kunt ondergaan dan live en met je eigen ogen.

En voor wat betreft het audio-gebeuren: zo rijk kunnen ze riet toch nooit laten ruisen? Palmen laten zuchten? Laat staan de volkomen weergave van de badgeluiden van de waterbuffels en het soppen van de eenden door de sawa's. Het glooit en het golft en het glanst, bocht na bocht en alles is anders; zelfs de gekende landschapselementen. Reuzenspinnen maken notenbalken van de telegraafdraden en op de enkele meters vangrail liggen groepjes witte onderbroekjes te bleken.

Harry P. Poncin heeft een zak met twee kilo goelagoela gekocht en deze op de achterbank tussen ons in geplaatst. Telkens wanneer wij onze gids vragen of hij even halt wil houden, omdat het panorama ons te machtig wordt, krioelen uit de dessa naast de weg de kinderen naderbij. Ze strekken hun armpjes en smeken om goelagoela mister, snoepjessnoepjes.

Wij delen uit als razenden en proberen bij te houden wie er al gehad hebben. In het kielzog van de kinderen is een oude man meegestrompeld. Ik wissel een blik van verstandhouding met hem om al die schattige kinderen, maar hij wil zelf ook goelagoela. En een sigaret en waar ik vandaan kom.

—Blanda! zeg ik verontschuldigend; zo'n Hollander; u weet wel.

—Van Basten! kraait hij.

Er bestaat geen andere eind van de wereld meer.

Het zijn de ogen. Het wonderbaarlijke fenomeen van de blikken die je over onwaarschijnlijk grote afstanden kunt vangen en vasthouden.

Daar draaien wij een bocht om en je pikt er maar twee uit. Doet er niet toe welke, ze zijn allemaal even mooi. Een paar willekeurige ogen. Op de veranda van die paalwoning. Daar, op haar hurken. Een vrouw, nee een meisje, een kind nog. Je begint te kijken, nog vijftig meter en prompt hecht haar blik zich aan de jouwe. Nog vijfentwintig meter en we blijven elkaar aanzien. Dan passeer ik, met een gelukzalige armzwaai. Zij wuift niet terug maar krimpt een stukje, giechelend. Nu is de betovering verbroken en speur je koortsig naar twee nieuwe kijkers.

Hier en daar langs de weg staat een gammel tafeltje, waarop een rijtje flessen, vol roze en paarse vloeistof. Leergierig vraag ik Harry om welke vruchtensappen het gaat.
—Dat is benzine, mijnheer, antwoordt hij glimlachend; voor de bromfietsen.

Thuis steek ik de tuit altijd zo diep in de tank, dat ik de kleur van brandstof ben vergeten. Zoals ik bamboe alleen nog maar kende als placemat of kamerplantenstaakje en het pas hier onderga in al zijn onvermoede vormen en maten; verwerkt tot wachthuisjes, rustbanken, bruggetjes, waterleidingen, dakgoten, telegraafpalen.
—De Indonesiër gooit nooit iets weg, mevrouw mijnheer; alles kan hij steeds weer voor iets anders gebruiken.

Wij zien het zelf, in de berm. Als de vrouwen,

met elegant vertraagde, bovenhoofdse halen, in een schuine houten bak de rijst uit de halmen hebben geslagen en de uitgespreide korrels op van bamboescheuten gevlochten matten liggen te zonnen, wordt het overschietende stro door kinderen verzameld en gebundeld, om straks dienst te doen als vim.

—Vim, Harry?

—Als schuurmiddel, mijnheer; in de restaurants, in de stad.

—En wat betekenen die verschillend gekleurde rokjes en broeken, Harry, die die groepjes kinderen dragen?

—Daaraan kunnen wij zien of zij op de kleuter-, de lagere of de middelbare school zitten, mevrouw.

Grijs is nog kleuterschool, blauw de lagere en rood betekent zit op middelbare school, of andersom, ik weet het niet meer, want zojuist schoof er een schoonheid van vijf mijn raamlijst binnen. Zij ligt zich sierlijk te vervelen op de divanbrede rug van een grazende karbouw en ze lacht ons tot smeltens toe toe.

O, soms word ik binnen een kilometer wel zevenmaal verliefd! Daar komt weer zo'n boeketje meisjes aangetrippeld. Om geen tijd te verliezen, zometeen zijn we ze weer voorbij en verdwijnen ze voor eeuwig uit de achteruitkijkspiegel, pluk ik vlug de mooiste eruit. Ik let allang niet meer op benen, billen of borsten. Ik kom voor de ogen; de amandelogen waarin de afgelopen vierhonderd jaar al zoveel Nederlandse dichters, zendelingen en zeevaarders zijn verdronken; de eigenhandig door moeder natuur opgemaakte ogen en de blote voeten die het met een straatlengte winnen van mascara en hoge hakken.

In 1967 schreef S.J. Perelman in zijn verhalenbundel *Eastward Ha!*, in een vertwijfelde poging de wellust, de wanhoop en de wilde wensen die hem in Maleisië overvielen verbaal te beteugelen:

'Thanks to repeated cold showers, however, plus a dish called free mee compounded of equal layers of noodles and saltpeter, I was enabled to stay abed mornings where, by covering my head with a pillow, I was no longer inflamed by the sight of the Malaysian beauties.'

—Bijzit Multatuli concubine Slauerhoff maintenee missionaris Joseph Conrad Paul Gauguin, tollen mijn gedachten. Harry raadt ze.

—Onze meisjes zijn mooie meisjes, vindt u niet, mijnheer?

—Godallemachtig nou Harry! roep ik.

—En nu zijn de meisjes in Noord-Sulawesi nog mooier mijnheer, verstout hij zich te plagen; maar dan moeten wij drie weken met een Landrover door de bergen, om in Manado te komen.

En hij vertelt hoe hij twee jaar geleden een groep van twintig Nederlandse en Belgische toeristen begeleidde, onder wie een jongeman met zijn verloofde, uit Apeldoorn. Het was gebeurd toen het gezelschap een excursie maakte naar de diripai, het ceremoniële feest voor een belangrijke dode.

—Waar de karbouwen worden geslacht, zeg ik kalm.

—Jawel mijnheer, zegt Harry zacht. Hij is er verlegen mee dat de dood voor een deel zijn brood werd, maar toch klinkt er trots in zijn uitleg.

Dat lijkt mij logisch. Wat zou zijn oudste broer, die al dertig jaar in Nederland woont, een buitenlandse bezoeker kunnen vertellen over de dodencultuur in Capelle aan den IJssel? Mieke Telkamp, koffie met cake, bereikbaar met bus zes of veertien.

—Maar wat gebeurde er dan, Harry, met die Nederlandse jongen en zijn verloofde?

—Die jongeman werd over zijn hals verliefd, mijnheer.

—Op wie? zwijmelt mijn vrouw.

—Op een Toraja-meisje, mevrouw. En zij was het ook op hem, tot aan haar oren.

—En wat zei zijn verloofde daarvan?

—Zij was de wanhoop naderbij. U moet weten, dit was hun eerste grote reis tezamen. Maar de liefde is als een rivier, mevrouw.

—En toen, en toen? Ik steek een sigaret op.

—Zij zijn wel samen teruggevlogen, maar dit Toraja-meisje is hem blijven schrijven. Ik heb de brieven voor haar vertaald en in juni komt hij weer en gaan zij trouwen.

Ik ril van bewondering, voor die gezonde Hollandse jongen.

—En ik ben hun getuige, verklapt Harry stralend en wij applaudisseren spontaan.

—En dan blijven zij hier wonen? veronderstelt mijn vrouw.

—Nee! schrikt Harry; hier zouden zij geen toekomst hebben. Na de huwelijkse feesten vertrekken zij naar Nederland. Zij gaan wonen in Aalsmeer. Kent u Aalsmeer? Daar staan prachtige huizen! Ik heb ze gezien, op de foto. En daar is werk voor haar, hier niet.

Ik zie haar straks al zitten in haar Ikea-stoel voor haar vensterbank met de hibiscusplant, terwijl zij met haar vochtige amandelogen door haar dubbele ramen een zojuist van Schiphol opgestegen Boeing 747 van Garuda nastaart.

Na acht uur rijden draaien wij een kilometer voor het hoofdstadje een smal dijkje op dat ons, tussen de rijstvelden door, bij het Rantepao Hotel brengt: eenvoudige maar smaakvolle laagbouw, bestaande uit een receptiebalie van bamboestammetjes, een overkapt maar voor de rest open gelaten restaurant met tien bamboetafeltjes en veertig dito stoelen, een verblindend witgekalkt bijgebouwtje voor het personeel en, iets verder het weelderige land in, een rij van tien flinke kamers, met terrasjes die ieder voorzien zijn van bamboezitjes waarin je tot aan de bergen over de sawa's uitkijkt.

Het Rantepao Hotel is pas een maand open en Harry, mijn vrouw en ik zijn de enige gasten. Men brengt ons naar kamer vijf, in een optocht van zoetgeurende, zachtjes kwetterende jongens en meisjes.

Het lijken er mij bij deze bezetting wat veel, qua hotelpersoneel, maar ik stop ze stuk voor stuk een biljetje van duizend roepia's toe, een gulden; door welke vrijgevigheid ze met stomheid zijn geslagen, vooral degenen die twee keer krijgen omdat ik, verblind door alle pracht, hun gezichten niet uit elkaar kan houden.

Een uur later is ook in het restaurant de verhouding tussen de bediening (circa twintig jongens en meisjes) en het aantal gasten (twee) volkomen zoek.

Ieder kommetje, schaaltje en bakje wordt door een aparte tiener aangedragen. Ik bestel een fles Australische red burgundy-wijn, die door drie jongens wordt ontkurkt en door twee van de betoverendste meisjes ingeschonken. Na de maaltijd parafeer ik de nota en houd mijn portemonnaie gesloten voor fooien; wat geen enkel verschil maakt in de betoonde hartelijkheid.

De bedienende meisjes zijn zo mooi en zo klein, dat je ze bijna als handbagage mee terug zou kunnen nemen, overweeg ik. Zo'n perverse gedachte spruit voort uit de misvatting dat mooie meisjes die je hier ongekend lang blijven aanstaren, op een westerse manier zouden flirten, terwijl ze alleen maar nieuwsgierig zijn.

Zo kunnen wij niet meer kijken; al onze blikken zijn bedorven.

Het duurt ook een hele avond voor wij weer onbevangen kunnen luisteren.

In het begin praten wij veel te veel en te hard, op ons terrasje. Luidruchtig wijzen wij elkaar op hoofden van Hollandse bekenden in de kammen van de bergen en de silhouetten van de palmen.

Maar allengs worden onze stemmen bedeesder en ten slotte geven wij met verzaligde zuchtjes lucht aan onze verstomming om dit nachtconcert van kikkers, krekels en vogels, de zuigende plokgeluidjes van een kliek eenden die door de sawa huiswaarts waadt en het verheerlijkte snuiven van zes waterbuffels die, op twee meter afstand, langs komen sjokken.

—Terima kasih, zeg ik zacht tot het jongetje dat ze achternaloopt, in de veronderstelling dat ik hem een goedenavond wens, totdat hij, na een verlegen aarzeling, Salamat malam antwoordt.

Nu weet ik het weer: terima kasih betekent dankuwel. Daarom heb ik ook niet het gevoel dat ik iets verkeerds heb gezegd.

Voor het eerst in twintig jaar word ik de volgende morgen om vijf uur wakker. Ik stap naar buiten, waar God vannacht een schitterende nieuwe dag heeft gebakken; de bergen roken er nog van.

Om de hoek van onze rij kamers ligt een grasveldje, waarop een wakkere karbouw graast. Een oude, pezige man, alleen een korte kakibroek heeft hij aan, slaat het kolossale dier liefdevol gade. Ik slenter in zijn richting.

—Terima pagi, zeg ik.

—Salamat pagi pagi, antwoordt de boer.

Nu niet meer vergeten: salamat pagi is goedemorgen, salamat siang is goedemiddag, salamat sore is goedenamiddag en salamat malam is goedenavond. En dan heb je nog salamat pagi pagi, voor als het 's ochtends heel vroeg is: goededagaanbreek.

—How old karbouw? vraag ik.

De oude man ziet mij aan. Het duurt even voor hij glimlacht.

Hij kijkt naar zijn kostbaarste bezit en daarna naar en over de bergen. Nu begint hij zonder geluid zijn lippen te bewegen, waarbij hij, een voor een, zijn bruine gerimpelde vingers strekt. Ik begrijp dat hij telt, maar zo langzaam als ik dit nog nooit iemand heb zien doen; alleen mijn dochtertje, toen ze zes was en zij de tafel van zeven maar niet onder de knie kon krijgen.

Hij doet minuten over het antwoord. Binnens-

monds reconstrueert hij de in het dier verdwenen jaren; het jaar van de grote storm en het jaar van de
bruiloft van zijn oudste dochter en het jaar van de
waterput. Drie vingers. Toen is mijn vrouw overleden, vier vingers en daarna ging mijn zoon in de ha-
ven van Makassar werken, vijf en toen kwamen de
eerste toeristen. Tweede hand erbij. De grote brand
in Londa, mijn buurman die zijn nek brak en toen
kocht ik een nieuw varken. Hij is nu bij acht en ik
heb al spijt van mijn vraag, maar begrijp tegelijkertijd
dat ik hier een kostelijke les in levensrust krijg en hoe
je hier de tijd alleen kunt begrijpen door hem voor
alles ruim te nemen. Rubbertijd.

Dertien jaar oud, blijkt zijn karbouw te zijn.

—Goh, knik ik bewonderend; dertien. Ik neem mij
voor dat ik morgen tot honderd ga leren tellen, in
het Bahasa Indonesia.

—Tiga belas, herhaalt de oude man trots en hij lacht
verbaasd, alsof hij dat zelf ook niet had verwacht. Ik
vlei mij met de gedachte dat hij zich de leeftijd van
zijn karbouw niet eens zou hebben afgevraagd, wanneer ik hem er niet over had aangesproken.

Mijn boer brengt de twee vingers die hij het laatst
heeft opgestoken naar zijn lippen en vraagt: cigaret?

—Cigaret? Sure! Ya Ya, cigaret. You wait!

Ik keer op een holletje, fout, terug naar onze kamer en breek de slof uitdeelpakjes open.

—Wat ben je aan het doen? vraagt mijn vrouw, wakker gemaakt.

—Dertien jaar! roep ik, er staat hiernaast een karbouw van dertien jaar oud. Salamat pagi, trouwens.

—Terima kasih, gaapt ze. Zij is sneller dan ik, in
vreemde talen.

In het restaurant wordt het ontbijt verzorgd door zeven hele nieuwe jongens en meisjes. Wij hebben het druk met ons geluk.

Maar plotseling knettert er iets elektronisch; het komt uit die twee krakkemikkige speakertjes die links en rechts boven onze hoofden zijn opgehangen aan de bamboe hoekpilaren en dan, krak, bam, valt er steenharde rockmuziek uit de hoeken naar omlaag: Great balls of fire, van Jerry Lee Lewis!

Het is lief bedoeld van de kok en zijn twee maatjes—verwachtingsvol zien hun hoofden, boven elkander om de hoek van het keukendeurtje gestoken, uit naar onze reactie—en het is natuurlijk complimenteus dat zij ons als middelbaar echtpaar nog zo vlot inschatten, maar als ze, na nog een keer Great balls of fire, de cassette terugspoelen om de klassieker voor de derde maal over het landschap te laten schallen, vraag ik, vriendelijk op mijn oren wijzend, of het nu weer even stil mag zijn.

Eerst begrijpen zij mij verkeerd en starten het nummer opnieuw en nu nog harder, maar dan verschijnt Harry P. Poncin, die hun het een en ander toebijt, waarna de muziek abrupt wordt afgebroken. Ik maak een zittende buiging naar onze gids, hij nijgt eveneens zijn bovenlichaam en ik verbaas me over mijn toegenomen wellevendheid. Zo merk ik een zekere verfijning bij het strikken van mijn veters en strijk ik mijn servet, dat ik thuis altijd achterlaat in een prop, na de maaltijd keurig glad en daarna vouw ik het in vieren en leg het netjes neer, liefst met een bloem erop en een beetje scheef, zodat het mooi harmonieert met de rest van de tafel. Dit land kan je ontlompen.

Neem nu de ontspannen en toch accurate manier waarop ik mij, terug op de kamer, reisklaar maak voor onze eerste excursie.

Ik zal honderdduizend roepia's meenemen (honderd gulden) en de rest van ons geld, de paspoorten en de vliegtickets in de afsluitbare lade van ons tafeltje bergen. Het sleuteltje gaat diep en veilig onderin mijn rechterbroekzak, met een schone, witte, keurig opgevouwen zakdoek er bovenop. Mijn makkelijkste schoenen aan, foto- en videocamera mee, pleister op neus tegen verbranden, hier zonnebril bovenop en daar gaan we.

Het is negen uur. Harry rijdt ons naar Lemo, waar we het eerste van een tiental Toraja-graven zullen bezichtigen. Hoewel nog maar vijftien procent van de Toraja's de oorspronkelijke aluk todolo-religie aanhangt en driekwart van hen christen is geworden, cultiveert de bevolking de oude doods- en begrafenisriten.

Dat houdt bij voorbeeld in dat een overledene als 'ziek' wordt beschouwd en te rusten wordt gelegd in een speciaal voor dit doel gereserveerde ruimte van het bootvormige tongkonan-huis, totdat de begrafenisceremoniën beginnen. Pas dan heet de ontslapene dood.

Zo'n periode tussen 'ziek' en 'dood' kan dagen, weken, maanden en soms wel jaren duren. Tot voor kort mochten de bewoners en bezoekers van het sterfhuis op geen enkele wijze lucht geven aan hun weerzin tegen de door ontbinding van het lichaam ontstane stank.

Op dit punt heeft men de laatste jaren een conces-

sie aan de traditie gedaan door het in het leven roepen van tijdelijke doodskisten, waaruit cilinders van
bamboe steken die, als horizontale schoorstenen, de
ergste lijkenlucht het huis uit leiden.

Pas wanneer er voldoende geld en rijst is bijeenge-
bracht voor een feest van een omvang die overeen-
stemt met het belang van de dode en eerst nadat men
het eens is geworden over het aantal te offeren karbouwen, varkens en kippen, breekt voor het lijk de
officiële sterfdag aan. Tomate noemen zij dit. En nu
kan de ziel zijn reis naar Puya, het rijk van de dode
zielen, aanvangen.

Deze ingewikkelde riten kunnen wekenlang duren
en Harry zal informeren of er toevallig ergens zo'n
diripai aan de gang is, dan kunnen wij er misschien
een stukje van meemaken.

—Nou nee, salamat kasih, Harry, zeg ik, want ik ben
verzot op cultuur en folklore, maar zodra er bloed bij
vloeit haak ik af.

—Kijk, wijst hij tien kilometer later in de vallei van
Lemo; daar worden de Doden begraven.

Wij staan voor een loodrechte, ongeveer honderd
meter hoge rotswand waarin, op zo'n dertig meter
boven de grond, een stuk of twintig houten deurtjes
zijn aangebracht.

—Wat zit daar achter die deurtjes, Harry?
—De graven, mijnheer. Zij maken hoge stellages van
bamboe, waar de jongemannen van het dorp inklim-
men en zij lossen elkaar af en dag en nacht hakken zij
door, tot zij de ruimte van een graf hebben.
—Met de hand?

—Jawel mevrouw; zij hebben geen pneumatische boren. En daar links hoog hangt nog een draagbaar, zoals u ziet ook weer in de tongkonan-bootvorm van hun huizen, omdat de Toraja's ooit over zee naar het midden van Celebes zijn gekomen en met het lichaam in die draagbaar maken zij eerst een kronkelende tocht door hun woongebied, om de boze geesten op een dwaalspoor te brengen en dan halen de jongemannen het lijk eruit—dit is natuurlijk gewikkeld in de kostbaarste ikat-weefsels—en zij klimmen ermee hoog in de palen naar de opening van het graf en de dode wordt erin geschoven en dan gaat het deurtje ervoor. En daar, op dat soort balkon, ziet u dan de beroemde tau-tau staan; de poppen die de overledenen voorstellen.

Ik fotografeer ze, met open mond.

Levensgroot zijn ze, uit hout gehouwen, aangekleed en beschilderd. Het wit van hun ogen weerblikkert het helse zonlicht. De poppen houden hun handen vragend uitgestrekt.

Tijdens de manene-ceremonie worden er geschenken geplaatst in de handpalm; ook goelagoela.
—Nou nou nou nou nou; vat ik mijn indrukken samen.

In de sawa aan de voet van de dodenwand gaan de nabestaanden, bovenlichaam horizontaal, water tot aan het dijbeen, onverstoorbaar door met het kappen van rijst. De honderden walletjes en dammetjes die hun waterakkers doorsnijden, geven dit landschap vanuit de lucht het aanzien van een enorm groot groen glas-in-loodraam. Wanneer zag ik dat? Gisteren pas.

—Gaan dode kinderen ook in die berg? vraagt mijn vrouw; ik zie daar een beeld van een klein jongetje.

—Jawel mevrouw, ook de kinderen. Behalve wanneer zij nog heel klein zijn. Ik zal u dit tonen.

En Harry rijdt ons naar Tilanga, waar wij uit moeten stappen en te voet door een vochtig sprookjesbos trekken, tot hij halt houdt voor een boom die nog door geen drie man valt te omvamen.

Zijn stem klinkt een octaaf lager dan wij inmiddels van hem gewend zijn als hij zegt: wanneer de baby overlijdt en nog geen tanden heeft, wordt het kleine lichaam begraven in deze boom. Zij maken een gat in de boom, stoppen de baby erin en doen hier een luikje voor. Zo denken zij dat het kind met de boom naar de hemel groeit en ook denken zij dat het volgende kind in leven zal blijven en zo sterk als een boom zal zijn. Na een jaar is de boom weer dichtgegroeid en heeft zich gesloten om het kindje, aangezien de beenderen nog zacht zijn. Ziet u wel, daar die littekens?

Wij tellen er tientallen, in de bast. Als je hier iets leert, is het zwijgen.

Wij verlaten het bos langs een ander pad en hier komt ons flauwe muziek tegemoet; zangerig, klagend fluitspel—maar wij zijn het zelf, die naderbij komen.

—Daar woont een oude man, vertelt Harry; en die blaast van zonsopgang vroeg tot laat in de avond op zijn fluit. Maar ach, hij doet niemand kwaad.

Ik trek bij voorbaat mijn vaste biljetje van duizend roepia's, maar Harry houdt mij tegen en zegt dat ik veel te gul ben: vijftig roepia's is meer dan voldoende.

Een stuiver dus, reken ik uit en na een laatste bocht in het bospad zien wij hem zitten; een niet te schatten zo oude, verweerde Toraja, met lang grijs haar. Hij zit in de lotushouding, op de vloer van een piepklein hutje op palen, zijn bamboefluit aan de mond. Een heilige man.

Ik hoor zijn blazen nu al zeker vijf minuten en vraag mij nog steeds af wat er zo merkwaardig aan is. Ineens weet ik het en zie ik het: hij haalt geen adem! Hij haalt natuurlijk wel adem, maar hij onderbreekt er zijn spel niet voor; zonder enig interval, hoe kort ook maar, rijgen zijn zoethouten tonen zich aan elkaar. Ik weet toevallig dat deze techniek 'circular breathing' heet; je blaast op je instrument en haalt nieuwe adem door je neus naar binnen en die gebruik je weer voor de volgende reeks tonen.

In Nederland zijn er misschien tien blazers die deze techniek beheersen en die hebben haar dan ergens in Amerika aangeleerd gekregen, op een school of music, jaar over gedaan, via een beurs, maar hier, in het hart van Zuid-Sulawesi, krijgen fluitspelers deze kunst van vader op zoon mee ingeblazen.

En daar gaan we weer en ik denk: kijk die arme man daar nu toch zitten, in zijn schamele hutje! En straks komt de regentijd, terwijl hij aan het koninklijk conservatorium in Den Haag met het volste recht als hoofddocent circular breathing kan worden aangesteld, dus weet je wat ik doe? Ik koop een ticket en ik vlieg hem met fluit en al naar Nederland! Zo plan ik, in mijn postneokoloniale hoogmoed, voortdurend glanzende carrières voor nietsvermoedende Toraja's. Geruststellend knik ik de fluitspeler toe.

—Hij is blind, mijnheer, zegt Harry.

Voordat we in zijn busje stappen, wijst de gids ons op een klein en sierlijk, helgroen en veelvingerig plantje, met licht gekartelde blaadjes.
—Deze wilde plant is de poeteri maloe, zegt hij; maar wij noemen hem bedeesd meisje en ik zal u laten zien waarom.

Harry tikt met een vinger tegen een blaadje, dat zich onmiddellijk na de aanraking schielijk dichtvouwt.

Noli me tangere, schiet mij te binnen; wil mij niet aanraken.
—Kruidje-roer-mij-niet, zeg ik tegen Harry; zo heet hij geloof ik bij ons. Maar in Nederland reageren ze niet zo elegant hoor, de planten. God, meneer Poncin; wat woont u in een prachtig land!
—Dank u wel, mijnheer, antwoordt hij, maar Holland is ook mooi, met zijn tulpen en zijn polders. En Ajax!
—Ach welnee! bestrijd ik hem; neem nou alleen maar de mensen. Kijk die meisjes daar nou weer eens; zo mooi kunnen ze bij ons toch niet lopen?

Harry zwijgt gestreeld. Dan zegt hij: Ja, Indonesië heeft mooie vrouwen. Dat vond President Soekarno ook.
—Soekarno? vraag ik nieuwsgierig.
—Een neef van mij, begint hij voorzichtig te onthullen, was twee jaar lang een van de adjudanten van Soekarno. En President Soekarno had een afspraak met zijn adjudanten. Als hij op reis was door Indonesië en overal toespraken hield, dan zei hij bij voor-

74

beeld: wij moeten allemaal meewerken aan de economische opbouw van ons mooie vaderland. Niet alleen jij, maar ook jij en u en jij en jij daar! En dan wees hij mensen in de zaal aan, mannen en vrouwen en jongens en meisjes. En de zevende op wie hij dan zijn vinger richtte, was altijd het mooiste meisje van de avond, dat hem al bij zijn komst op het podium buitengewoon welgevallig was geweest. En de adjudanten hun taak was het om goed op te letten en mee te tellen als Soekarno de mensen begon te wijzen op hun persoonlijke verantwoordelijkheden, want nummer zeven moest na afloop naar zijn hotelkamer worden gebracht, om de nacht met hem door te brengen.

—Het is niet waar, stamel ik met droge keel.

—Jawel mijnheer, zo ging dit in zijn werk, verzekert Harry.

—Maar als zo'n meisje dan niet wou? vraagt mijn vrouw namens alle vrouwen.

Harry glimlacht droevig, maar niet ontevreden.

—Een vrouw in Indonesië, zij mag nooit iets weigeren, mevrouw.

—Dus geen bedeesd meisje, concludeer ik; wat dat plantje doet, dat mag zo'n meisje hier dus niet.

Nu lacht hij hardop.

—Ik kan wel merken dat uw man een grappenmaker is, feliciteert hij mijn vrouw; wat het plantje doet, dat mag het meisje niet!

Op de terugweg herhaalt hij het zinnetje schaterend nog een paar keer, totdat wij het pad naar ons hotel oprijden, waar het plotsklaps wemelt van de mensen. Er wordt in beide richtingen en in grote opwinding langs ons busje gehold. Wat is hier in hemelsnaam aan de hand, Harry?

Hij buigt zich uit zijn raampje en wisselt wat snelle woorden met een voorbijganger. Ik schrik van zijn gezicht als hij zich naar ons omdraait; alle kleur is eruit verdwenen. Dan slikt hij twee keer en zegt: Mijnheer mevrouw; het hotel is afgebrand.

Hij rijdt stapvoets verder. Wij pakken elkaars hand vast en staren in doodsangst hol voor ons uit. Dan slaat de bliksem in mijn kruin: godverdegodver! Het laatje! Het laatje in de tafel; met al ons geld en alle papieren!

Een onweer van schrikbeelden geselt mijn hoofd: de politie, de verzekering, het KLM-kantoor, terug naar Makassar liften, slapen langs de weg, telegrammen sturen, kinderen bellen, de ambassade zien te bereiken, nieuwe kleren moeten kopen, rijksdienst voor het wegverkeer, nieuw rijbewijs aanvragen, Veendam.

Van het restaurant staan alleen de lage stenen zijmuurtjes nog overeind; de rest ligt volledig in de as, waar onze obertjes schuifelend in rondneuzen. Van de receptiebalie is evenmin iets overgebleven. Links en rechts zwieren verkoolde papieren.

—Misschien is die nota van gisteravond ook wel verbrand, bedenk ik in een vlaag van waanzin pennywise; dan hebben we in elk geval die fles Australische bourgogne voor niks gedronken!

Verdwaasd stappen wij uit het busje, maar dan weet Harry te melden dat het vuur de kamers niet bereikt heeft—onze bezittingen zijn in elk geval veilig. Een pak van honderden guldens valt van mijn hart. De manager van het hotel komt aangehold, wringt zijn lichaam in duizend bochten en smeekt om vergiffenis.

—Het was een butagasfles, die explodeerde. Om kwart over negen, in de keuken van het restaurant. Toen stak er juist een windvlaag op en die nam de gasfles mee en like a great ball of fire raasde het vuur over ons mooie complex. Het spijt ons onzegbaar, mevrouw mijnheer.

—Zijn er slachtoffers gevallen? durft mijn vrouw te vragen.

—De kok, mevrouw. Zijn schaamdelen zijn verbrand en hij ligt in Rantepao in het ziekenhuis.

—O god wat erg!

—Maar zijn familie krijgt van ons rijst, mevrouw.

Zo wordt dat hier geregeld.

Steeds meer kinderen drommen om ons heen, maar onder deze omstandigheden durven ze niet om goelagoela te vragen.

—En de meisjes? vraag ik, want in de chaos mis ik onze serveerstertjes; er zijn dus geen meisjes gewond?

—Nee mijnheer, voor de rest zijn er geen slachtoffers. En uw koffer hebben wij in veiligheid gebracht. Ook uw kleren, uit de kast. En vanmiddag komt de dominee uit Ujung Pandang, om een dankdienst te leiden, dat alles zo goed is afgelopen.

Voor de tweede maal binnen vierentwintig uur trekken wij, aan de staart van de stoet personeel, naar onze kamer.

Aan het gebouwtje zelf is niets te zien. Alleen staan alle deuren open en is het meubilair naar buiten gesleept en op grote hopen in de gang bijeengedreven. Een vloot van bedden en matrassen en een ordeloze bende kasten.

Maar waar, waar is in hemelsnaam ons tafeltje gebleven!

Met klamme kaken vertel ik Harry het geheim van onze lade en dan kijken we naar de sawa voor het terrasje en daar zien we ze dobberen; twintig stoelen en tien tafeltjes, met hun poten omhoog.

Wij trekken tegelijk onze schoenen en sokken uit, slaan onze broekspijpen een paar slagen om en begeven ons te water. Ik haal mijn sleuteltje te voorschijn. Blinde angst geeft mij een ongekende kracht en moed. Ik duw in mijn eentje een waterbuffel opzij om twee wegdrijvende tafeltjes te kunnen inspecteren. In het ene zit geen lade meer, de andere is leeg. Ik diarreer van spanning. Het zevende tafeltje heeft een lade die op slot zit!

Ik ram mijn sleuteltje er ondersteboven in, maar Harry neemt het van mij over, ik licht de lade boven water en hij draait, rustig, een slag heen, een slag terug en nog een slag en dan trek ik hem open en daar ligt een bol pak doorweekte paperassen: de mijne!

Juichend steek ik ons papieren bezit omhoog, van oneindige opluchting begint mijn vrouw als een schoolmeisje in haar handen te klappen en het voltallige personeel volgt haar in een halfbegrijpend applaus.

Vervolgens druppelen ze allemaal binnen op de laatste en grootste kamer van de gang, die ons door de manager is aangeboden omdat deze het verst is verwijderd van het nog nasmeulende restaurant.

Of willen wij liever vertrekken? Dat zou hij zich

namelijk heel goed kunnen voorstellen. Maar wij besluiten te blijven, waarmee wij aller harten stelen en de kamerjongens en -meisjes vechten om de eer onze kleren te mogen weghangen in een van de gang gesleepte kast. Ik deel al mijn sigaretten en briefjes van duizend uit en dan zie ik ook onze twee prinsesjes van gisteravond.

Ze hebben gehuild en als ik vaderlijk mijn armen spreid, schuifelen zij schuchter naar mij toe en druk ik hen allebei tegelijk aan mijn borst. Ze komen met hun lieve hoofdjes tot mijn oksels en ze ruiken naar rook. Zachtjes en troostend strijk ik over hun heerlijke, blauwzwarte haar. En ik hoor mijzelf zeggen: Ach gossie gossie gossie; ach Guusje Guusje Guusje.

Ultima tule

De herfst heet begonnen, maar het is nog warm.

Zachtjes kamt de wind het gras achterover, maar tot mijn verbazing staan de bomen te bloeien; links en rechts van ons wuift een hoge witte bloesemwand.

Als ik wat beter kijk, zie ik dat de wind de bomen heeft omgebladerd. Door hun witte achterkanten lijken de blaadjes in bloei te staan. En dat kost allemaal geen cent extra.

Ik heb de nieuwe hond bij me en omdat hij vannacht niet in de kamer heeft gepoept, ga ik hem belonen met een extra rondje door het bos.

Op het onverharde parkeerplaatsje zijn wij de enige auto. Wij stappen drie keer uit en weer in en weer uit, want ik moet hem nog leren dat eerst de baas uit de auto mag en daarna hij pas.

Dus dat hij niet, zodra ik de portiergreep pak, vanaf de achterbank over mijn schouder naar buiten moet proberen te springen, want dat kan de baas zijn dure zonnebril kosten.

Eerst zoeken wij samen een geschikte speelstok voor onze wandeling. Een nieuwe; niet eentje van die gebruikte, voor de helft blankgeknauwde takken die wij tijdens de eerste meters tegenkomen en die daar op last van andere hondenliefhebbers, bang voor natte bast en splinters op hun bekleding, aan het eind van het uitje zijn achtergelaten.

Dit lijkt mij een mooi stuk tak. Niet te dik voor de hond en niet te zwaar voor de baas. Daar gaan we.

Ik doe een paar keer of ik onze wandelstok weggooi en evenzovele malen raast hij erachteraan om na een woeste draf verbaasd te vertragen, even stokstijf stil te staan en dan opgewonden snuivend rond te neuzen; eerst in de lucht, vervolgens over de grond en ten slotte naar mij.

Nu haal ik de tak achter mijn rug vandaan, kantelt hij zijn kop scheef van verwondering en komt hij zenuwachtig teruggegaloppeerd; nooit beledigd, maar steeds opnieuw blij dat zijn stok er nog is.

'Nee, ik was even bang dat ik hem kwijt had gemaakt', zie je hem gerustgesteld denken.

Hij grijnst opgetogen en gaat weer helemaal blanco zitten wachten. Het is de oudste en flauwste vorm van foppen tussen mens en hond, maar ze krijgen er nooit genoeg van. Hij althans niet. Na acht schijnworpen houd ik ermee op. Niet uit medelijden maar uit zelfrespect, want in feite zijn wij allebei even schaapachtig bezig en ik wil niet weten hoe dom hij op de kop af is, dus of hij onze verdwijntruc na tien, na vijftig of na honderd valse starts voor gezien houdt. Of helemaal nooit.

Wat hij wel goed in zijn hoofd en onder de knie heeft is de sprong over de horizontale boom. Daar hebben wij een week op getraind, maar nu hoef ik alleen maar 'Hop!' te roepen en dan zweeft hij er gedwee en veerkrachtig overheen.

Als wij de open plek naderen waar de omgevallen hindernis klaarligt, kijkt hij mij schrander aan en vandaag hoef ik helemaal niets te zeggen: ik knik en daar vliegt hij al.

Na dit deel van ons parcours wordt het bos dichter. Waar er niemand meer bij kon, bungelen de laatste bramen aan de struiken. Nu vorkt de droge dennenaaldenboslaan en vandaag neem ik het smalle linkerpad, dat te kronkelig is om stokken te gooien.

Onze nieuwe hond kwispelt tien meter voor mij uit, met zijn kop consequent naar beneden, alsof hij met zijn neus in rails vastzit.

Daardoor ziet hij godzijdank niet wat ik zie, rechts tussen het gebladerte, op een meter of twintig afstand, tegen een boom, recht overeind en op klaarlichte dag: een man en een vrouw die, energiek maar geluidloos, verzaligd de liefde bedrijven.

Ik verstijf. Zij zien mij niet, en mijn hond ziet hen niet, maar ik zie alles.

De man draagt alleen een opengeknoopt roze overhemd en leunt, de knieën licht gebogen, met zijn rug tegen de beuk. De vrouw is naakt. Tussen de bruine knieholtes van haar gespreide benen staat een spierwit slipje gespannen. Ik kijk haar elastische, zachtjes golvende rug af. De bofkont kneedt vastberaden haar strakke billen en de zon ketst op zijn ring.

Ik krijg een fluittoon in mijn oren en loop snel maar zonder struikelen en met een heel andere leeftijd verder; sukkelig de nietsvermoedende hond achterna. Best mogelijk dat hij die twee ook gezien heeft, maar hij weet nog niet wat neuken is en voor bosmensen zonder hond heeft hij geen belangstelling.

Ik ben er nu bijna voorbij, hemelsbreed. Maar wat als zij mij zien, voor ik de volgende bocht om ben? Dan houden ze mij voor een platte voyeur, die misschien wel een uur heeft staan gluren. Hoe maak ik hun wijs dat ik niks gemerkt heb?

De rollen zijn omgedraaid. Zij hoeven niet langer te vrezen dat ik ze zal zien, maar ik ben bang dat zij mij zullen zien, met alle voze conclusies van dien. Ik moet laten merken dat ik hier loop, er zit niks anders op. Ik moet zorgen dat zij mij zien. 'Hop!' roep ik dan ook, veel te hard, en nog eens 'Hop!' en 'Hop-hophop!'

De hond kijkt mij wantrouwend aan en dan in het rond, speurend waar hij overheen moet van de baas, die plotseling stram begint te looppassen; nou daar lust hij wel pap van, heerlijk, even lekker hollen sa-men en zo hopsen we terug naar de parkeerplaats, terwijl het beeld van de man met de vrouw door mijn hijgende hoofd spookt, waar het voor altijd zal beklijven.

Waren het wel een man en een vrouw? Zij had van dat korte blonde haar. Konden het geen twee mannen zijn? Of was zij juist heel jongensachtig, een meisje van kantoor en dit de middagpauze en hij haar chef, de schoft?

Maar nu staat er naast mijn auto een splinternieu-we Japanner geparkeerd, met een antenne aan het topje waarvan zo'n vlaggetje witte tule wappert; hoe heet dat, zo'n strook van een bruidsjapon of wat is het eigenlijk; vooral in Frankrijk zie je vaak zulke met wit gaas getooide, toeterende trouwstoeten pas-seren en nu kreun ik van schaamte om mijn infame gedachte. Die twee zijn natuurlijk zojuist getrouwd en konden gewoon niet wachten.

O dit wordt zo'n prachtherfst, wanneer wij alle-maal meedoen!

Een dag in het Wallyhalla

Waar haalt hij het vandaan! vraagt tout Nederland zich steeds hardopper af.

Niemand kan hier een zinnig antwoord op geven. Wij zullen het pas weten na zijn dood. Hij heeft immers zijn hoofd en zijn astrale lichaam aan de wetenschap vermaakt. En wel, met de typische zucht naar chaos en anarchisme die hem eigen is, aan negen universiteiten tegelijk! Dat zal nog een heel gekrakeel gaan geven. Wat natuurlijk precies zijn bedoeling is—de wereld op haar kop zetten, het onderste boven, het binnenste buiten, alle hekken open en alle dagen feest!

Ik heb het over Kamagurka. Dus het laat zich raden dat ik behoorlijk buiten zinnen was toen een bode mij een schijf boomschors overhandigde, waarin een telefoonnummer stond gebrand. Dat moest hem zijn, want uit smetvrees, had ik wel eens gelezen, nam Kamagurka uitsluitend op deze wijze contact met Nederlanders op.

Nadat ik een emmer water voor het paard had getapt en de bode weer was weggegaloppeerd, draaide ik met trillende vingers het gebrandmerkte abonneenummer. 91. Was dat niet het kengetal van Gent?

Aan de andere kant van de lijn ging geen bel of zoemer over, maar kraaide een haan. Zevenmaal, met dezelfde tussenruimte. Toen werd er opgenomen.

—Met Kamagurka, klonk het zangerig.

—Met Kamagurka zelf? stamelde ik.

—Nee, u spreekt met zijn antwoordapparaat, zei de stem; Kamagurka zelf is helaas in de ruimte.

—In welke ruimte? wilde ik weten.

—Domme vraag, bitste Kamagurka's antwoordapparaat; er is immers maar één ruimte?

—Tja, gaf ik toe; als u het zó bekijkt...

—Dat spreekt vanzelf! Er is immers maar één manier om alles te bekijken? En nu ik u toch aan de lijn heb: u dient morgenochtend om half acht in de BRT-studio te Brussel te zijn. Daar vinden de opnamen plaats van Wally in Space...

—Van wie in Space?

—Eddy Wally. De enige zanger ter wereld die zichzelf de Grootste Zanger ter wereld vindt. Wat hij overigens ook is. U speelt de rol van een vertegenwoordiger in ruimtestofzuigers. En omdat u van Mars komt, moet u groen zijn.

—Word ik geschminkt?

—Nee, dat gaat allemaal met trucage. Maar nu moet ik ophangen, want daar wordt gebeld. Dat zal Kamagurka zijn. Ik zal hem zeggen dat u heel blij bent en dat u er stipt op tijd zult zijn.

Het leek mij het beste meteen naar Brussel af te reizen. Nu proberen te gaan slapen was zinloos. Maar wat moest ik aantrekken, als Marsverkoper?

Wacht: wat een geluk dat ik in 1965 nog een week lang Hippie was geweest! Dat oude roze, fluwelen kostuum natuurlijk! Daar zou mijn groene hoofd mooi boven uitkomen!

Vlak voor Breda passeerde ik de bode op zijn paard.

—Maar Kamagurka zei zelf dat dit door middel van trucage zou gebeuren! protesteerde ik in de catacomben aan de August Reyerslaan, toen drie potige BRT-grimeuses mij geroutineerd en hardhandig uitkleedden, vastsnoerden in een kapstoel en van onder tot boven begonnen groen te schilderen. In Nederland gebruiken ze daar pancake en een sponsje voor, maar hier ging dit met potten verf en behangkwasten. Twee uur later mocht ik los en naar boven. De studio was herschapen in een ruimteschip en bevolkt met niet bestaande mensen. Daar zag ik Herr Seele! Hij had gepunte oren. Hoe heette die figuur ook alweer? Spock toch? Uit Star Trek?

En daar, dat prachtige Chinese meisje? Was dat niet de vrouw van Kamagurka? En die stralende, vierkante gestalte in dat zilveren kostuum, met die wilskrachtige kanjer van een kin, die gebeitelde glimlach en dat komische, gitzwart gespoten en minutieus geföhnde kapsel?
—Dat is Eddy Wally, lichtte de floor-manager mij fluisterend voor; en zo zit zijn haar altijd hoor.

En die kerels die daar links en rechts op de vloer zaten te huilen en die man die daar met zijn hoofd op het ruimte-aanrecht in de ruimte-keuken stond te bonken, wat speelden die voor rol in deze aflevering?
—Dat is de cameraploeg, zei de floor-manager; af en toe wordt het ze even te veel. Gisteren zijn de opnamen vijf uur uitgelopen.

Een half uur later begreep ik waarom. Eddy Wally is geen gewoon mens zoals u en ik, maar een verschijnsel. En zo'n fenomeen heeft zijn eigen wetmatigheden, die niet parallel met de onze lopen. In Nederland heeft Wim T. Schippers baanbrekende, historische programma's gemaakt rond uit het alledaagse niets geplukte mannen en vrouwen die hij magistraal tot sterren stileerde, maar aan Captain Wally hoefde Kamagurka niets te versleutelen of te polijsten: deze onwezenlijk beminnelijke man wàs al out of space.

En het is heel begrijpelijk dat zo'n bovenaards wezen moeite heeft met onze normale mensentaal. Dus als Eddy Wally, volgens het script, 'Goedemorgen mijn liefje' moet zeggen, klinkt er de eerste keer 'Goedenavond mevrouw', vervolgens 'Goedemiddag mijnheer', in de derde opname 'Goedemorgen lief mevrouwtje', en take vier luidt: 'Goedevrouw mijn heertje.'

Dan houdt men een pauze waarin allen hun hoofd een minuutje onder de koude kraan mogen steken (behalve ik, omdat het mijne groen moet blijven) en daarna vervolgt men de opname.

Stilte op de vloer! Iedereen klaar? Mijnheer Wally: we hebben uw tekst hier op dit bord geschreven. Dat houden wij vlak boven de camera. U zegt dus: 'Goedemorgen mijn liefje.' Kunt u het lezen?

—Jawel. Daar staat: Goedemorgen mijn liefje.

—Precies! Dat is het. Nou, daar gaan we. Attentie voor opname? Ja!

—Lievemorgen mijn goedje.

—Stop!

Enzovoort. Tot in de avonduren. Want Eddy Wally is een perfectionist, die niet zal rusten voordat hij alle, maar dan ook werkelijk alle mogelijke tekstvarianten heeft uitgeprobeerd.

Dezelfde zorgvuldigheid betracht Captain Wally ook bij de hem voorgeschreven handelingen. Zo moet hij, bij de avondmaaltijd in het ruimteschip, om stilte verzoeken door met zijn mes een speciaal geprepareerd, uit suiker gesponnen wijnglas stuk te slaan. Eentje staat er voor hem op tafel en angstvallig houdt de inspeciënt twee reserve-exemplaren gereed.
—Zullen we even repeteren, Eddy Wally?
—Jawel, dat is goed. En pats: gehoorzaam slaat onze hoofdrolspeler het eerste glas aan diggelen.
—Nee! Neenee, Eddy: doen alsof hè! Niet echt slaan, alleen voor de beweging! Een ander glas jongens, tempo, tempo! Daar gaan we nog een keer, repetitie. Je zegt dus eerst: 'Beste Mensen!' en pas daarna tik je zogenaamd op je glas, ja?
—Jawel.
—Goed. Iedereen klaar? Actie!
  Rinkeldekinkel, doet het tweede glas.
—Neeeeeee! Als ik het zèg, Eddy! Eerder niet! Godallemachtig! Hebben we nog zo'n glas? Is dat het laatste? Goed. Laten we het dan meteen maar opnemen. Eddy Wally klaar?
—Jawel, ik ben klaar.
—Dan gaan we het nú op de band zetten! Dus je zegt eerst: 'Beste Mensen!' en dan sla je, met je mes, dat glas stuk! Attentie! Stilte op de vloer! Opname vijf tellen na nu! Vier, drie, twee, één...

Nu slaat Captain Wally zijn glas stuk en zegt:
—Goedemorgen mijn liefje.

En na vijf uur ben ik nog altijd niet aan de beurt geweest, maar dat kan mij dan allang niets meer schelen omdat ik, groen en wel, getuige mag zijn van de allerhilarieste reeks gebeurtenissen die, zonder het uiteindelijke televisiescherm te halen, ooit in enige studio moet hebben plaatsgegrepen. En dit alles dank zij Kamagurka en Captain Wally.

Tegen een uur of één 's nachts liep iedereen op zijn wenkbrauwen, behalve Eddy Wally. Onvermoeibaar stralend deelde hij gesigneerde foto's van zichzelf uit aan de enkelen onder ons die hun hand nog konden ophouden.

Toen zette de regisseur, met een gezicht dat nog grijzer was dan het mijne groen, er een punt achter.

Ik kon de kracht niet meer opbrengen om mij weer helemaal af te schminken. Ik ga thuis wel lekker douchen, dacht ik, en scheurde terug naar Nederland.

Direct na de Moerdijkbrug werd ik klemgereden door een Politie-Porsche.

De agent die zich aan mijn portierraam meldde, deinsde geschrokken achteruit en greep instinctief naar zijn pistool.
—Het is verf! riep ik; niets bijzonders, niks aan de hand!

Maar hij haalde, voor de zekerheid, zijn collega erbij en of ik gedronken had.

Nee heren, geen druppel.

Waar ik dan vandaan kwam.

Braaf begon ik alles uit te leggen. Eddy Wally? Nooit van gehoord. En dat ik de hele dag in een ruimteschip had gezeten gaf mij nog niet het recht om honderdzestig te rijden.

Ik kreeg een riante bekeuring en tot Utrecht bleven ze pesterig achter me aan sukkelen.

Pas onder de douche bedacht ik mij dat ik, in navolging van Captain Wally, meteen: 'Vrees niets, wij komen uit Ertvelde!' had moeten roepen—het Vlaamse Ertvelde, gelegen in het Wallyhalla.

Brown sugar

Het where or when van onze ontmoeting kan ik niet meer exact reconstrueren, maar hij lijkt sprekend op Jack Nicholson, is 32 jaar en woont afwisselend op Antigua, op Tobago, op Jamaica en in New York; waar hij optreedt als huisbewaarder, sidekick en boodschapper van onwaarschijnlijk veel groten uit de pop- en filmwereld.

Hij was ook nog een tijdje croupier in Miami, barkeeper in Florence, road manager van Genesis en bodyguard van Brian Ferry, dus keek ik er niet van op toen hij meldde dat hij vrijdagavond het weekend lekker naar Londen ging, om in het Wembley-stadion het laatste concert van de Rolling Stones-tour bij te wonen en dat hij zou overnachten 'at Keith's place' en of ik soms zin had om mee te gaan.

—At Keith's place? vroeg ik voorzichtig.

—Yeah, Keith Richards' house, zei Brayton Foggerty nonchalant; maar Bill en Ron en Charlie logeren allemaal in het Mayfair Hotel, dus ik zal Steve bellen dat hij een kamer voor je reserveert en dan kun je met de Guest-bus meerijden naar het stadion; Wembley, you know, to have a few drinks in the Vip-room, voordat the final concert begint.

—Sounds great, zei ik achteloos.

—Okay, noteerde Brayton; er gaat een vliegtuig om half elf, dus dan zie ik je morgenochtend om half tien op Schiphol.

In opperste opwinding kwam ik thuis.

—The Stones? vroeg mijn vrouw verbaasd; maar jij hèbt toch helemaal niks met de Stones? Wanneer zet jij nou een plaat van de Stones op?

—Vaker dan jij denkt hoor, zei ik gepikeerd.

—Ach welnee! Ik heb jou nog nooit een plaat van de Stones horen draaien.

—Nee, maar wel op mijn walkman!

—Nou, van mij mag je, maar ga ze niet vertellen dat je een fan bent, want dat slaat nergens op.

De volgende dag zat ik, om vijf uur 's middags, in een weloverwogen mengeling van hippe kleding die mijn buikje en drie generaties Stones-publiek moest omspannen, aan de bar van het Mayfair Hotel te wachten tot de Guest-bus naar Wembley zou vertrekken.

Het gonsde hier van de mooie uitvreters, lelijke rijkaards, gegroefde cokeheads en op hun laatste benen lopende groupies. Veel luidruchtig blatende Amerikanen in de lobby, met grote cowboyhoeden op: de familie Budweiser waarschijnlijk, hoofdsponsors van The Urban Jungle Tour, want dit werd het laatste concert.

Vandaar al deze yups en zakenpikken die, dacht ik minachtend, vanavond waarschijnlijk voor het eerst een concert van de Rolling Stones gingen bezoeken. Hetzelfde gold voor mij, maar mijn geval lag duidelijk anders, omdat mijn vrouw al in 1964 (65? 66?) aanwezig was bij het historische Stones-concert tijdens hetwelk het Scheveningse Kurhaus werd verwoest en ik sinds kort immers een vriend had die intiem bevriend was met Keith Richards!

—Ven Koeten, zei ik dan ook zelfverzekerd tegen de dame die de special guests de bus in moest loodsen, toen zij naar mijn naam vroeg.

Uit angst voor infiltranten en om spieken te voorkomen, hield zij de gastenlijst stijf tegen haar borst geklemd.

—Fan what? vroeg zij.

—Fan of the Stones, zei ik; since 1964.

Zij raadpleegde haar lijst.

—Fan Koeten?

—Yes, Fan Koeten.

En Brayton bleek zijn sterke verhalen te hebben waargemaakt, want ik stond erop en mocht erin. Ik kwam te zitten naast een tante van Bill Wyman. Kwart voor zes, was het. Om vijf voor zes zie ik vijf Rollses komen aanzweven en dan duiken de Stones zelf, omzwermd door een cordon van looppassende klerenkasten, elk op een achterbank en zijn de volgende tel alweer om de hoek van de straat verdwenen.

De bus zet zich in beweging en de Londense avond is zacht en roze als fondant.

De tante van Bill Wyman krijgt een pepermuntje aangereikt door de opa van Ron Wood.

—The code-song for tonight is Brown Sugar, zegt de dame van de gastenlijst door de busmicrofoon. Het duurt even voor ik doorheb wat hiermee bedoeld wordt, maar een nichtje van Mick Jagger helpt mij uit de droom: zodra de Stones 'Brown Sugar' inzetten, dienen de special guests zich terug naar deze bus te haasten; anders zijn wij te laat en worden de Vips onder de voet gelopen door het honderdvijftigduizendkoppige gepeupel.

Juist ja. Ik weet dat Brown Sugar staat voor heroïne, maar hoe ging die song ook alweer? Zal ik hem wel op tijd herkennen?

Het angstzweet breekt mij bij voorbaat uit, als ik mij voorstel hoe ik pas na de afkondiging van Jagger zal begrijpen dat ze zojuist Brown Sugar hebben gespeeld en dat ik dan nog naar de hoofduitgang moet zien te komen, waar de bus al is vertrokken, zodat ik het Mayfair Hotel niet meer haal en bij voorbeeld hier, waar wij nu langs rijden, Helen's Hotel heet dit, zal moeten overnachten achter die grijze, gescheurde vitrage en dan moet ontbijten in dat fish and chipskrot daar, naast de winkel van de firma Nodes and Sons; begrafenisondernemers.

Maar binnen de poorten van het Wembley-stadion wijkt de morsigheid van de buurt die wij doorkruisten en zoemen wij stapvoets tot vlak voor de hoofdingang, tonen onze Vip-stickers (ik heb de mijne niet opgeplakt maar, voor thuis, intact gelaten) en mogen vervolgens het walhalla binnen: een grote tent naast het stadion, met een vloer van kunstgras, en wijn en bier en hapjes voor driehonderd uitverkorenen.

—Ga je met ze op de foto? hadden ze thuis gevraagd, maar ik heb geen toestel bij me.

Brayton, die ik hier pas terugzie, verveeld in gesprek met Rod Stewart, heeft wel een camera; dus wring ik mij tot op een meter afstand van Mick Jagger, constateer tevreden dat ik een half hoofd groter ben, maar durf niet naar mijn Amerikaanse vriend te gebaren dat hij snel een foto moet nemen.

Er lopen hier zo'n dertig kinderen rond en in de hoop dat het nakomelingen van de Stones zijn aai ik

er een paar over de bol, maar dan wordt het half negen en begint het concert.

Het honderdenvijftigste en laatste, meldt Jagger.
Start me up, Mixed Emotions, Paint it Black, You
can't always get what you want en Angie; waarin hij,
vergeleken bij de plaatversie, af en toe een octaafje
zakt, zoals ook Sinatra zijn songs iedere vijf jaar een
toon lager zingt; maar dat is dan ook het enige waaraan je kunt merken dat de tijd zelfs Mick Jagger niet
onberoerd heeft gelaten—wat hij twee uur lang pres-
teert zonder in ademnood te raken gaat mijn verstand
te boven.

Bij de vele changementen sta ik met mijn back-
stage-pas nog een paar maal spectaculair in de weg en
dan, het loopt tegen half elf, hoor ik heel Wembley
Brown Sugar scanderen en haast ik mij, aangestoken
door Jaggers tomeloze energie, in een lange sprint terug naar de bus.

Bij de uitgang van het stadion slaag ik er ook nog
in, zogenaamd per ongeluk, tegen Jerry Hall en haar
ouders op te botsen en terug in de bar van het Mayfair Hotel mag ik een uurtje later Lorelei McBroom,
een van de twee zwarte achtergrond-zangeressen, een
bevend vuurtje voor haar joint geven. Maar het ge-
hoopte trekje als dank zit er niet in en de Stones zelf
laten zich niet meer zien. Die zijn met al hun fami-
lieleden gaan souperen in de Wimbledonse villa van
Ron Wood; hoor ik de volgende middag van Brayton.

En dat het illustere gezelschap daar om vier uur 's
ochtends werd opgeschrikt door een bommelding en
dat toen elke Stone halsoverkop zijns weegs was ge-
rollst.

En dat Keith Richards met zijn vrouw Patti en hun twee dochters een uurtje later bij zijn huis in Hampstead was gearriveerd en dat Brayton, die hier na het concert gedropt was met Richards' sleutelbos, om op de katten en de kostbaarheden te passen, de deur voor hen had zullen openen, maar door alle genotmiddelen van de voorbije zaterdag in een onuitwekbare slaap was getuimeld.

En hoe Keith ook belde en bonsde—hij kreeg zijn huisbewaarder niet wakker. Zodat de oude gitaargod, zesenhalf uur na de staande ovatie in Wembley, met veel gevloek en gekanker over zijn eigen tuinmuur had moeten klimmen, om hun keukendeur te forceren.

Woedend was Keith geweest; maar zondagmiddag was alles weer koek en ei en hadden ze nog een robbertje zitten dominoën in de tuin; Keith, zijn vader en Brayton. Kijk maar: dit zijn de polaroids.

Ja verdomd: daar zit mijn vriend tegenover Keith Richards in zijn ontblote bovenlijf, met zijn vertatoejunkte armen.

Wou ik hem soms hebben, als herinnering?

Jazeker wou ik dat, als het niet te veel gevraagd was.

En omdat Brayton Foggerty die zondagavond op Heathrow nog een Japanner strikte die een foto van ons beiden maakte, bezit ik straks twee getuigenissen aan de hand waarvan ik—les amis de mes amis sont mes amis—tot in lengte van dagen kan aantonen hoe close ik wel niet met de Stones was, in 1990.

Een broek in de toekomst

Omdat ik in het buitenland beter naar etalages kijk en dan steevast denk dat ik daar boeken zie liggen, camera's zie staan of kleding zie hangen die ze in Nederland nog niet of niet meer hebben, kocht ik onlangs een broek in Biarritz.

Het modezaakje lag aan de Avenue Edouard VII; tegenover de galerie van Jean Marais en dertig meter naast de kiosk van André Darrigade. Zijn naam staat hoog over de voorgevel geschilderd. Won tussen 1956 en 1961 vijfmaal de eerste etappe van de Tour de France.

—Als ik mijn auto met mijn racefiets op het dak voor de entree van zijn kiosk parkeer, dacht ik, dan sta ik sterker en kan ik hem misschien interviewen, voor *Humo*.

Op welk verzet hij in die jaren sprintte en aan wie hij nu als finisher de voorkeur geeft: aan Museeuw of aan Van Poppel.

—Is mijnheer Darrigade aanwezig? vraag ik aan het meisje dat, geklemd tussen de kassa en een hoge tafel met ronkende kookboeken, de zojuist bezorgde iglo van blokken ochtendkranten staat af te breken.

—Monsieur qui? vraagt ze geïrriteerd.

—André Darrigade, le sprinteur du Tour de France.

—Sprinteur?

—Ah oui, le fameux coureur. Darrigade!

—Connais pas, zegt ze en ze gaat verder met kranten pellen.

Wanneer Darrigade als winnaar van de pelotons-sprint de finish passeerde, leek hij op een eend; met zijn bovenlichaam volmaakt horizontaal en zijn hoofd op een lang gestrekte hals zegekwakend achterover.

Maar op de zwart-wit foto's van de rustdag zag je een hele andere André: een scherpe, blonde man, ernstig kijkend, haar glad en nat naar achteren gekamd en gekleed in een modieuze polo-pull en een tot boven zijn middel opgeschorte, wijd uitlopende, soepel vallende pantalon met pied-de-poule-patroon.

Precies zo'n broek als ik hier zag hangen, dus ik verlaat de kiosk, loop neuriënd een stukje terug en betreed de kledingwinkel.

—Ik zou graag die broek in de etalage passen.

—Met alle vormen van plezier, mijnheer.

De zaak wordt gedreven door twee dames, zo te zien zusters en ik voel dat ik vandaag hun eerste klant ben.

Terwijl de ene, op zoek naar mijn maat, in het keldermagazijn afdaalt, schuift de ander een aantal balen T-shirts opzij, om het pashokje vrij te maken.

Het is zo'n modezaak die altijd net in nieuwe handen is overgegaan; waar de vignetjes op je bon een totaal andere naam vermelden dan er nog maar twee weken geleden op de winkelruit is geairbrusht. Zo'n zaak waar het altijd Soldes is en ze de broeken principieel ongezoomd in de rekken hebben hangen, zodat ze eerst nog afgespeld moeten worden en je ineens niet meer weet of je nu wel of geen omslag wilt.

—Ça va, mon chou? wordt er geroepen.

—Oui madame, roep ik terug; verbaasd maar gevleid. O die Françaises.

Als ik uit mijn hokje te voorschijn kom, struikelend over de dertig centimeter te lange pijpen, word ik opgevangen door de oudste zuster.

—Allo chéri, tu es là? roept de stem van daarnet.

—Oui mon amour, roep ik pikant—maar het is de andere zuster, die het heeft tegen het beeldscherm van de computer naast hun kassa.

—Nadinevleutdlireblonjourassonfies, legt mijn coupeuse met haar mond vol spelden uit.

En dan zie ik voor het eerst van mijn leven een beeldtelefoon. Ik vraag of ik hem van dichtbij kan bekijken en dat mag.

Deze zaak heeft hem pas een maand, maar in heel Frankrijk bestaat hij al twee jaar en alle betere winkels en restaurants in Biarritz zijn ermee uitgerust, verzekeren de beide dames mij geestdriftig.

Ik zie een huiskamertafel waaraan een jongetje van een jaar of zes toont hoe knap hij zijn bordje heeft leeggegeten, door het op te houden voor de camera, die daar kennelijk ergens in een hoek van het plafond hangt. Het knulletje roept iets, zijn vuile mond gaat tenminste flink open en dicht, maar we horen hem niet. Dat is nog te duur, vertelt de jongste zuster; hij hoort haar wel, maar ziet alleen de camera en kan zelf niks zeggen tegen zijn moeder.

De Visiofoon, heet dit beeldbelsysteem in het land van Jules Verne en over deze telefoontechniek werd al gespeculeerd toen Darrigade nog in de Tour de France reed; zoals ons nu al vijftig jaar lang een stofzuiger wordt beloofd die geheel op eigen houtje zijn weg zoekt door het huis van de toekomst.

Je beseft de reikwijdte van zo'n nieuw medium pas ten volle, wanneer je het in bedrijf ziet.

Mijn hemel! Hoe zullen die telefoonsexlijnen eruit gaan zien? Straks bel je een 06-nummer en dan kun je een dame, een heer, een heer en een dame, twee dames, twee heren, een heer en twee dames, enzovoort, de porno van jouw keuze laten opvoeren! Geen dure praktijkruimte en volle wachtkamers meer; u belt de huisarts en die zegt: steekt u de tong even uit en laat u de broek maar eens zakken. U wilt vanavond komen dineren met vier personen, zei u? Wat dacht u van dit tafeltje, hier aan het raam? Sorry Johan, maar ik kan niet op je verjaardag komen, want zoals je ziet zit ik nog steeds met die gebroken poot. Ja, ik zie het Jaap, maar toen ik je vorige week belde zat het gips toch om je andere been? Nooit meer je ouders bezoeken om hen te helpen met hun belastingbiljet: visiofonisch vul je het in. En die zwager in Australië, aan wie je niet meer hoeft te schrijven dat je zo benieuwd bent hoe zijn kinderen er tegenwoordig uitzien. Hallo Anton, met mij. Zeg richt de camera eens even op je boekenkast, want ik dacht dat je er nog een stuk of drie van mij had staan. Zie je wel? Nee dan zet ik u even op de slaapkamervisiofoon; mevrouw ligt namelijk nog in bed. Zeg mevrouw de werkster, ik bel u maar even, want u zou vandaag deze kamer hebben gedaan en moet u eens even kijken hoe mijn vinger eruitziet als ik hem hier langs de plint haal!

—Tu vas dormir, chéri?

Oui maman, knikt het jongetje.

De moeder legt de hoorn terug en haar zoontje gaat op zwart.

Ik zie het allemaal gebeuren en weet plotseling hoe ik mij voel, geholpen door die veel te lange broek: ik was nog een kind en logeerde bij twee rijke tantes. Het is avond, ik ben uit bed gekomen, naar beneden gegaan en sta nu, in mijn slobberende pyjamabroek, te kijken naar iets wat wij thuis nog niet hebben. Televisie.

En omdat iedereen tegenwoordig een racefiets bezit, zie je lekgereden wielrenners ook nooit meer finishen op een zolang van een toeschouwer geleend dames- of herenrijwiel; een uitgestorven staaltje dat André Darrigade ook nog eens een keer heeft geflikt.

Joejork

Hoewel ik hier drie keer eerder ben geweest, spreek ik New York nog altijd uit als Joejork en valt mij nu pas op dat veel stoepranden van ijzer zijn, of althans verstevigd met stalen strips, wat mij het ouderwetse woord trottoirband te binnen roept. De wapening is in hoofdzaak op de hoeken aangebracht tot zo'n twintig meter na de haakse bocht, waarna zij bij de volgende straat weer opduikt.

Slenterend verzin ik een oorzakelijk verband. Op de hoeken van de straten hebben de trottoirs natuurlijk het meest te lijden van het miljoenenleger voetgangers en de duizenden taxi's die dagelijks de stoeprand scheren. Ik mompel maar wat in mijzelf en blijf de eerste morgen naar beneden kijken.

De trottoirvegetatie is veranderd, vergeleken bij mijn vorige bezoek. Het duurt een kilometer voordat ik het gewijzigde patroon heb kunnen ontleden. Het verschil zit hem vooral in de afwezigheid van peuken en filters. Van tien jaar terug herinner ik mij duidelijk het onkruid van mondstukken dat de stoepen overwoekerde, maar nu kom je in het wild bijna geen peukje meer tegen. En omdat het automobilisten nu definitief is verboden te toeteren, heeft ook de deken van stadsrumoer een ander motief gekregen. Er zijn wat nieuwe geluiden bij gekomen: de ambulance-sirene die een honderdmaal versterkt videospelletje jingelt en de korte, doffe rinkel van munten die je, zonder je pas ervoor in te houden, in de kartonnen halveliterbekers mikt die je door de bedelaars worden toegestoken.

Veel zwervers die pas gisteren tot dakloosheid zijn vervallen. Kleding en schoeisel kunnen er eigenlijk nog best mee door. De mystieke nacht van de beslissende omslag, waarin een man moet vaststellen dat alle mogelijkheden tot opvang, herscholing of aanpassing zijn uitgeput en dat de daaropvolgende dag en nacht de eerste zullen zijn die hij bedelend en in de open lucht gaat doorbrengen.

Zwarte schoenpoetsers staren mistroostig naar de optocht van niet te poetsen Nikes en Reeboks. Ik volg hun blik en vraag mij af wat al die glinsterende bolletjes toch langs de stoeprand doen. Daarnet in de wijk Murray Hill zijn ze mij niet opgevallen, maar hier in Chelsea worden het er steeds meer. Is het glas? Ja, gebroken capsules lijken het wel. Ik heb geen idee.

Pas na het zien van *Jungle Fever*, de derde film van Spike Lee, een meesterwerk dat qua humor, hard- en helderheid doet denken aan de eerste anti-racistische zedenschetsen van Fassbinder (*Angst essen Seele auf*) realiseer ik mij, blozend als het boertje van buiten dat thuis in Amsterdam al niet meer opkijkt van een weggeworpen heroïnespuit, dat die nieuwe bodembedekker bestaat uit gebroken crack-capsules. Crack! Dat is het enige dat we nog niet kennen, in Nederland. Voor de rest hebben we alles al.

In een laatste gevecht op overleven en dood bieden de videotheken drie banden te huur aan voor twee dollar negenennegentig, het hele weekend te behouden. Maar in de megastore van Sam Goody's staan de mensen met een vaste baan voor de kassa met stapels koopvideo's, alsof het CD's zijn.

Toen ik nog kind was, kende iedere Nederlandse familie een zogeheten Oom Piet, die eens in de vijf jaar uit Amerika terugkeerde met een koffer vol noviteiten. Kauwgum. Nylons. De eerste singles.

Zelf ben ik in 1980 nog thuisgekomen met twee videospelletjes die, als ik het mij goed herinner, veertig dollar per stuk kostten. Maar nu zie ik niets nieuws meer.

Ja toch: om de honderd meter tijgert er een Amerikaanse speelgoedsoldaat over het trottoir, met een automatisch knetterend geweer, in de loop waarvan de Stars and Stripes is geplant, alles made in Taiwan.

Ook nieuw: dat je, om bij helder weer Manhattan te kunnen overzien, niet langer het Empire State

Building bestijgt maar het zestig meter hoger reikende World Trade Center. Ik ben er belachelijk vroeg en zo'n beetje als eerste, zoef met de lift in achtenvijftig seconden naar het dakterras, vergaap me, krijg tot mijn teleurstelling geen enkele verheven gedachte, daal weer af en loop buiten in de armen van een uitgelaten Russische immigrant die mij vraagt of ik een biljet van honderd dollar kan wisselen. Dat kan ik en als beloning mag ik gratis poseren op de door hem neergepote bank, tussen twee levensgrote poppen in, die Bush en Gorbatsjov moeten voorstellen. Zij zijn het voor geen meter en van de weeromstuit lijk ik meer op mijzelf dan ooit.

Ik neem de tweede dag vier taxi's, die onderscheidenlijk worden bestuurd door een Rus, een Irakees, een Cubaan en een jongeman uit Bangladesh. Dit multinationale gewemel maakt het een stuk gemakkelijker je in New York te bewegen alsof je zelf een New Yorker bent, dan in Parijs door te gaan voor een heuse Parijzenaar; terwijl je als Nederlander wel van bijzonder goeden huize moet komen om, ik noem maar wat, in Londen voor een originele Engelsman te worden versleten.

Daar is het de toerist ten slotte om begonnen: zo vlug mogelijk te versmelten met zijn nieuwe omgeving, opdat hij al de tweede dag wordt staande gehouden door een andere toerist, die hem de weg vraagt. Geen grotere triomf dan die ook daadwerkelijk en in de landstaal te kunnen wijzen!

Ik ken geen andere stad waar dit assimilatieproces zo

snel verloopt als in deze meest rielekste heksenketel ter wereld. Zodra je hier bent, ben je hier thuis.

Daar zit een gevaarlijke kant aan. Als je niet oppast laat je je zo meesleuren in deze gelukzalige maalstroom, dat de concentratie verslapt en de overmoed toeslaat. Kijk mamma, zonder handen: ik fiets met losse handen door Joejork.

Zo ben ik bij voorbeeld verwijderd uit het Yankee Stadium, maar wat ik verkeerd deed was veeleer het gevolg van continentale beleefdheid dan van brooddronken overmoed.

Ik wandel de tweede avond van mijn vijfdaags verblijf met mijn in de tweeënveertigste straat gekochte nieuwe sportschoenen naar John Malkovich, op het toneel in een nieuw stuk van Sam Shephard, maar sinds *Dangerous Liaisons* trekt Malkovich horden schoolmeisjes en daar valt de eerste weken niet tussen te komen.

Dus rep ik mij naar het Walter Kerr Theatre, waar Nicol Williamson de farce *I Hate Hamlet* speelt; maar dit stuk is afgevoerd, staat er zonder nadere toelichting op de hoofdingang gekalkt.

Zo beland ik volkomen ten onrechte bij *The Secret Garden*—een musical naar het beroemde kinderboek van Frances Hodgson Burnett, met in de hoofdrollen de elfjarige Daisy Eagan, een doodgedrild ettertje waaruit de laatste druppel spontaniteit is geperst, en een virtuoos mank lopende, maar onuitstaanbaar sentimentele stiefvader, gespeeld door Mandy Patinkin die, lees ik in het programma, een langspeelplaat heeft gemaakt met de titel 'Mandy Patinkin sings Mandy Patinkin'; wat altijd een veeg teken is.

Het etiket 'Off Broadway' werd ooit ingevoerd om aan te geven dat de onder deze paraplu opererende theatermakers schoon genoeg hadden van de voortdurend oppervlakkiger, gladder en duurder wordende Broadway-produkties; tot na een paar seizoenen ook de Off Broadway-producenten commerciële knievallen begonnen te maken en je, voor vernieuwend toneel, bij een Off Off Broadway-stuk moest wezen; terwijl de laatste theaterexperimenten nu in *The Village Voice* worden omschreven als 'Beyond Off Off Broadway'.

Dit geeft ongeveer aan hoe onverteerbaar karakterloos en onbetaalbaar een ouderwetse Broadway-produktie is geworden. De goedkoopste plaats kost zestig dollar en voor dat bedrag blijf je natuurlijk zitten, alhoewel het je goedbeschouwd best dertig dollar waard zou wezen om er na de pauze uit te mogen.

Toen het bij die *Secret Garden* eindelijk zover was, ging ik regelrecht naar Sardi's Restaurant, dat ik uit de verhalen kende als de stamkroeg van alles wat ster was.

In de Gouden Broadway-tijden belden de toneelrecensenten vanuit Sardi's hun première-kritieken door naar de kranteredacties. De wanden hangen er vol met karikaturen van film-, televisie- en theatersterren, dood of levend, maar het restaurant is nagenoeg leeg en aan The Little Bar zit alleen een trio benevelde Amerikanen: twee hitsige mannen en een vrouw die voortdurend naar links en naar rechts om zakt; wat de man die haar opvangt en handtastelijk overeind helpt dan weer uitlegt als aanhaligheid. Nighthawks.

De barkeeper is een Kroaat, meldt hij, nadat hij gevraagd heeft waar ik vandaan kom.

—Doviedjeenja, zeg ik guitig, want ik herinner mij van Joegoslavische vakanties dat dit 'goedendag' betekent. Dat scheelt: hij wou de whiskeyfles al terugtrekken, maar nu klokt hij een gratis extra gulp in mijn glas.

—Stil, zeg ik; stil is het hier.

Ach meneer, wat wilt u? Broadway, het is niks meer. Wat loopt er nou nog helemaal? Tien shows op zijn hoogst. En u dacht toch niet dat de mensen, als ze zestig zeventig tachtig dollar voor een kaartje voor *The Phantom of the Opera* of *Miss Saigon* hebben betaald, nog geld over hebben om na afloop gezellig te gaan eten?

De Amerikaanse vrouw huilt zachtjes in het oor van de man links van haar.

De andere Amerikaan wil weten waar ik vandaan kom.

—Uit Amsterdam, zeg ik. Ik woon daar al twintig jaar niet meer maar heb in het buitenland nog nooit iets anders geantwoord.

—En meneer spreekt Joegoslavisch, zegt de barkeeper.

—Ik ben zo gelukkig dat ik in New York ben! giert de vrouw en nu valt zij de man aan haar rechterzijde om zijn hals.

—En u? vraag ik: waar komt u vandaan?

—Detloit, zegt hij met een dubbele tong; wij zijn hier voor de voedselbeurs.

Ze hebben alle drie een naambordje op hun bovenkleding, zie ik nu.

—Amsterdam is de beste taxfree luchthaven van de hele wereld! roept de linkerman.

—Wat kun je in godsnaam taxfree kopen in Joegoslavië? snottert de vrouw.

Maar zij is net nuchter genoeg om bang te zijn dat ze mijn land heeft beledigd en dan vraagt ze het nog een keer, nu met grote bezopen ogen van medelijden:

—Wat zou ik in godsnaam taxfree in Joegoslavië willen kopen?

En zij hijst zich overeind en wil met mij dansen om mij te troosten vanwege mijn verscheurde vaderland, maar er staat helemaal geen muziek op want Sardi's wou net dichtgaan, en ik laat mij drie loze slagen door haar rondwentelen en dan hoor ik mij zeggen wat ik in aangeschoten toestand wel vaker tegen dames zeg, voornamelijk om te demonstreren dat ik mijn verstand nog bij elkaar heb: We can't go on meeting like this! zeg ik dan dus, maar die cartoon kent zij niet en zij bupst nog een paar passen met mij rond, neuriënd en spelend dat wij samen in een musical op Broadway staan, terwijl haar linkerbuurman broeierig zit toe te kijken en als wij onze krukken weer hebben beklommen wil hij met me vechten omdat ik met zijn vriendin heb gedanst, terwijl net voor mijn vertrek de hechtingen uit mijn bovenlip zijn gehaald; maar gelukkig springt de Joegoslavische barkeeper ertussen en herinner ik mij ineens dat je vier in het Joegoslavisch uitspreekt als tsjetiri en ik roep Tsjetiri Sljiwowitsja! en zo komt alles op zijn pootjes terecht en wals ik ook nog een paar ellipsen met de beledigde man en willen ze met mij mee als Sardi's definitief dichtgaat en moet ik ze een uur later van me af zien te schudden en in mijn eentje een taxi met geloof ik een Armeense chauffeur nemen en in het hotel ben ik mijn kamernummer vergeten en zo spoor ik de volgende middag met een hoofd van tropisch hardhout naar het Yankee Stadium, voor een baseballwedstrijd tussen de New York Yankees en de Baltimore Orioles, want daar had ik, op advies van Jan Donkers, onmiddellijk na aankomst bij de theaterbalie van het hotel een toegangskaartje voor gekocht.

Dwars door hagen zweetparelende wachtenden kan ik rechtdoor het stadion inlopen. Ik krijg een donkerblauwe canvas New York Yankees-sporttas in mijn handen gedrukt, maar bedacht als ik ben op agressieve verkoopmethoden, sla ik hem af en geef ik hem een paar maal terug, totdat ik begrijp dat hij gratis is, omdat ik gerekend word tot de New York Yankees-fans die, met de complimenten van de sponsors, nu eens een paar sokken en dan weer een zonnebril, een thermosfles of een lunchbag krijgen uitgereikt; alles voor niets. En deze dag (de vierde en laatste match tussen de Yankees en de Baltimore Orioles) is Free Sports Bag Day.

Ik heb een besproken plaats (stoel één van rij vier in vak negentien, op twintig meter van het veld) en ik ben koud gezeten en haal diep adem en recht mijn rug om, tot in al mijn vergeten vezels, deze Amerikaanste aller bijeenkomsten in te drinken, wanneer ik op mijn schouder word geklopt door een vlotte jongeman die mij, vanaf een deinend buikblad, een halveliterbeker bier aanreikt.

In de veronderstelling dat het ook nu weer om een gratis attentie van de sponsors gaat, zet ik de kartonnen bokaal dankbaar aan mijn lippen, neem een flinke teug, laat hem eerbiedig zakken, kijk mijn goede gever met tevreden toegeknepen ogen aan en zucht vergenoegd. Maar dat valt verkeerd en tien seconden later begrijp ik waarom: het is bij Amerikaanse stadionwedstrijden de gewoonte dat de buitenste, aan de gangpaden gezeten bezoekers, de verderop in de rij geplaatste bestellingen alsmede het wisselgeld heen en weer doorgeven, en mijn biertje was bedoeld voor de man op stoel tien van rij vier. Nu kan ik deze fout nog rechtzetten door negen extra Budweisers te bestellen, maar een half uur later gaat het onherstelbaar mis en wordt mij, wegens heiligschennis, voor de rest van mijn leven de toegang tot het Yankee Stadium ontzegd.

Het duurt even voordat ik mij, uit mijn middelbareschooltijd, de voornaamste regels van het honkbalspel herinner, maar intussen zing ik dapper en nog halfdronken mee met alle tunes en yells en jingles die een reusachtig, onzichtbaar hammondorgel door het stadion strooit.

Viermaal wijd (ball) of driemaal slag (strike) is uit; nu weet ik het weer! En de achtervanger en de pitcher horen bij elkaar. En als de slagman de bal wel raakt, maar deze ergens naar achteren of opzij de tribune invliegt, heet dit een foutslag en het geeft niet hoeveel zij er daarvan maken.

Wie zo'n foutgeraakte bal opvangt, mag hem trouwens houden, zie ik, en zo'n fan is natuurlijk de koning te rijk. Krijgen ze in het veld gewoon een nieuwe bal.

Na vier innings zijn er al zo'n dertig ballen door uitzinnige toeschouwers opgevangen en ik begrijp dat die kans op het verwerven van een echte bal een van de aantrekkelijkheden van het bezoek aan een honkbalwedstrijd uitmaakt: de bal die vier seconden geleden de wereldberoemde werpersarm van Dwigh Gooden heeft verlaten en nog warm is van de knuppel van Don Mattingly—die bal heb jij daar ineens in je hand!

We zitten nu in de vijfde inning en voor de Yankees komt Hensley Meulens aan slag; een van Curaçao afkomstige outfielder, dus in de verte nog een landgenoot.

Hij begint met een foutslag en de bal zeilt met een lome boog naar ons vak van de tribune. Omdat ik een beetje alleen zit—het stadion was niet helemaal uitverkocht en na het incident met dat bier zijn ze een paar plaatsen van mij vandaan geschoven—word ik in mijn poging om de bal te vangen niet gehinderd door mededingers. Ik vang hem weliswaar met twee handen, als een kaatseballend meisje, met één achteloos omhooggestoken arm was mooier geweest, maar verdomd, ik heb hem!

Ik maak een kleine buiging naar de omzittenden, besluit te laten zien dat wij Hollanders onze manieren kennen en dat ik als gast in hun prachtland en hun droomstad weet hoe het hoort, weet ik wat ik allemaal denk—dat ik thuis voor de buis altijd zo de pest heb aan mensen die bij voetbalwedstrijden de in de tribune belande bal veel te lang bij zich houden schiet me ook nog door mijn hoofd—maar in elk geval breng ik mijn rechterarm naar achteren, ik hef mijn linkerbeen zoals ik dat hun pitchers heb zien doen, in een haakse hoek, zoals je vaak gedachteloos een paperclip uitvouwt, EN DAN WERP IK DE BAL TERUG OP HET VELD.

Nu gaat alles razendsnel en steeds wanneer ik de film ervan terugspoel ontbreekt er een stuk geluid. Heeft het hele Yankee Stadium mij nu uitgefloten? Nee, alleen mijn deel van de tribune. En eerst niet. Eerst klapten ze voor mijn vangbal. En de wedstrijd ging gewoon door. Dat was juist het probleem: dat de pitcher van de Baltimore Orioles net weer had gegooid en dat Meulens eronderdoor sloeg, maar toen pakte de eerste honkman mijn bal die zijn kant kwam uitgerold op en verbijsterd liet hij hem aan de umpire van het eerste honk zien en die legde de wedstrijd stil en toen kwam pas dat oorverdovende fluitconcert en voelde ik die hand in mijn nek.

Een geüniformeerde hulk tilde mij op en droeg mij via holklinkende trappen, echoënde overlopen en galmende catacomben tot buiten het stadion.

—Why Sir?, wilde ik weten, maar hij zei niks en liet mij over aan de brandende zon en de huiveringwekkende leegte van The Bronx.

Ik terug downtown; verongelijkt, niet naar bed willen en belanden in het naar Damon Runyon vernoemde Runyon's Restaurant, waar ik door het omstoten van een fles Californische Burgundy in contact kwam met ene Doctor Allan Lans, die beweerde de psychiater van de New York Mets te zijn en mij vertelde dat ik door het teruggooien van die bal zo'n blasfemie heb bedreven dat mij waarschijnlijk voor het leven de toegang tot het Yankee Stadium is ontzegd. Ze zetten daar alles en iedereen vanuit alle hoeken op video; dus mijn hoofd staat zonder twijfel op hun eeuwige zwarte lijst.

En laat ik, doordat ik struikel over de veters van mijn nieuwe sportschoenen, de volgende dag in het Museum of Modern Art nou dwars met mijn hoofd door dat beroemde schilderij van die Vuurtoren van Edward Hopper vallen!

Maar ze lopen heerlijk.

Catalogisch

Zij kijkt naar een dollar, heb ik nu gezien! Haar gedachten zijn ergens anders, zij staart peinzend in het niets, maar haar blik blijft haken aan een dubbelgevouwen dollarbiljet, dat zij vasthoudt tussen duim en wijsvinger van haar rechtop geplaatste rechterhand.

Ik had dit schilderij tientallen malen gezien, maar nooit in het echt. Datgene waar die vrouw zo afwezig naar kijkt heb ik in de loop der jaren versleten voor een suikerzakje, een flapje lucifers, een subwaykaartje, de punt van een servetje, een bierviltje en haar eigen nagels.

Pas toen ik in het Folkwang Museum in de Duitse stad Essen op weke benen oog in oog stond met 'Nighthawks', en die onmiskenbare kleur groen tussen haar vingers zag, begreep ik dat Edward Hopper zijn vrouw aan de bar een dollarbiljet in handen heeft gegeven.

Om ons te vertellen dat zij af wil rekenen? Eigenlijk naar huis wil? Gaat ze straks alleen weg of met die man naast haar? Naar haar huis of naar het zijne? Of zijn ze samen? Wil ze ook voor hem afrekenen? Is het geen biljet van één maar van tien dollar?

Zo kun je nog wel even doorgaan, want de schilderijen van Hopper nodigen de toeschouwer voortdurend uit zich te verplaatsen in dat wat er zojuist op het doek is gebeurd of zo dadelijk gaat gebeuren.

'Nighthawks' (76 x 144 centimeter) hoort bij de meesterwerken uit de schilderkunst die vogelvrij zijn verklaard, wat heeft geleid tot een parade van imitaties, parafrases en verminkingen. In Amerikaanse advertenties heb ik La Gioconda al drie keer met een walkman op gezien en in Franse damesbladen figureerde de Venus van Botticelli vorig jaar in een deodorant-reclame.

Vroeger kwamen grote schilderijen nog wel eens op stijlvolle koektrommeltjes onder de mensen, maar sinds de frou-frou, de Brusselse kermis en de lange vingers niet meer per ons en in papieren puntzakken worden verkocht, zijn Michelangelo, Van Gogh en Andy Warhol veroordeeld tot T-shirts, handdoeken en prullenmanden.

Zelfs in de Artshop van het serieuze Folkwang vind je in grote staande klappers de bekende Nighthawks-parodie waarop Hoppers nachtbrakers zijn vervangen door James Dean en Marilyn Monroe; alsof, na een pianorecital van Alfred Brendel, in de hal van het Concertgebouw de laatste CD van Jan Vayne wordt verkocht.

De tentoonstelling in Essen heette 'Edward Hopper und die Fotografie' en de catalogus was weer buitengewoon prestigieus opgezet en uitgevoerd, waardoor hij liggend op de vleugel het best tot zijn recht komt.

Ik koop er altijd twee; eentje voor onszelf om na die eerste avond nooit meer in te kijken en eentje om cadeau te geven aan een binnenkort verjarende vriend of vriendin.

Thuisgekomen blader ik hem nog eens door, stuit

op de afdruk van 'Nighthawks' en zou zweren dat de vrouw een gitaarplectrum vasthoudt, want dit keer is het kleurvlakje gereproduceerd in een transparante bruintint. En de stoep is veel te groen en de gevel belachelijk rood.

Stel u voor dat u een CD van een door u bijgewoond concert koopt waarop, ten gevolge van een onvolmaakte weergavetechniek, elke oorspronkelijke a een bes is geworden, de trombones klinken als trompetten en de sopraan de stem van de tenor heeft gekregen.

—Hoe is het toch in hemelsnaam mogelijk dat de moderne kunstdrukkerijen er met hun geavanceerde technieken nog altijd niet in slagen een schilderij exact te reproduceren! roep ik verontwaardigd tegen mijn huisgenoten; die iets anders te doen hadden, niet mee konden en deze tweeënveertig doeken van Hopper dus nooit meer in het echt bij elkaar zullen zien.

Waarom koop je dan zo'n dure catalogus als het toch niet klopt? vragen zij venijnig.

—Daarom juist! antwoord ik, zoals ik altijd doe wanneer ik mij in het nauw gedreven voel; maar twee tellen later realiseer ik mij dat dit nog waar is ook: bij een boekwerk met schilderijen die je niet in het echt kent verhindert de twijfel aan het waarheidsgehalte dat je onbekommerd geniet—echt plezier beleef je pas aan reprodukties waarvan je de originelen met eigen ogen hebt gezien, want nu weet je het beter dan de catalogus.

Zo heb ik Jan Mulder nog zien voetballen.

De Col de l'Admiration

Dat ik tijdens de beklimming van de Galibier twee keer moest overgeven, kwam doordat het allemaal weer veel te halsoverkop was gegaan: pas zaterdagnacht teruggekeerd uit New York, zat ik zondagmorgen om zes uur alweer achter het stuur van mijn auto; groots en meeslepend levend als de beroepswielrenners zelf.

De rit ging richting Briançon, want daar moest ik mij, na de finish van de zeventiende etappe van de achteraf historische Tour de France van 1986, vervoegen aan de balie van het hotel waar de Panasonic-ploeg logeerde. In ruil voor een in januari aan Peter Post bewezen dienst (ik had, in de gedaante van de ex-profrenner Karel van Loenen, het startschot voor zijn Rotterdamse Zesdaagse gelost), mocht ik nu, in zijn ploegleiderswagen, de Koninginnerit van Briançon naar Alpe d'Huez meemaken.

Hoe was de Tour tot nu toe verlopen?

Ik wist het maar half. Vannacht geen tijd gehad om de door mijn oppassende moeder keurig opgestapelde kranten van de laatste weken na te vlooien.

Van de eerste keer dat ik, ten tijde van de Tour de France, aan de andere kant van de oceaan verbleef (het was 1968 en wij maakten onze huwelijksreis) herinnerde ik mij hoe ik wekenlang elke dag opnieuw was blijven zoeken naar iets wat op een etappe-uitslag leek, in alle kranten die ik maar te pakken kon krijgen en tot verveling van mijn jonge bruid.

Pas na de finish in Parijs las ik, in *The Washington Post*, op het vliegveld en onder het kopje Cycling, de namen van de eerste drie renners:

1. J. Janssens, 2. Hervan Sprignel, 3. Ferd Brake. Ik durfde natuurlijk niet te geloven dat het de Nederlander Jan Janssen was, die de Tour de France had gewonnen. Dat moest de Belg Marcel Janssens zijn. Of reed die niet meer mee? Misselijk van spanning, de hele terugvlucht.

Maar dit keer was de Amerikaanse berichtgeving een stuk uitgebreider. Driemaal kreeg ik via CBS een flard Tour de France te zien; waarbij ik voor lief nam dat de camera niet de demarrerende renner volgde, maar inzoomde op het kerktorentje achter de kopgroep, en een dag later stond de etappe-uitslag, voor wat betrof de eerste tien plaatsen, keurig in de *Los Angeles Times*. Plus de eerste tien plaatsen in het Algemeen Klassement. Maar verder niks. Geen puntenklassement, geen ploegenklassement, nothing. Dus waar stond Zoetemelk in de algemene rangschikking? Elfde? Achtenvijftigste? En Kelly? Waarom kwam die niet in deze gekortwiekte uitslagen voor? Gevallen? Hij was toch wel gestart? En wie droeg er trouwens de Bolletjestrui? Millar toch wel, naar ik mocht hopen? En hoe deden de jongere renners het überhaupt? Ze gaven natuurlijk evenmin een klassement van de Witte Trui!

Mijzelf bestokend met deze en andere wezenlijke vragen ging ik dus, in grote onzekerheid, bij het krieken van de dag op weg naar de Alpen. Ik had drie weken lang in een automaat gereden, zodat mijn motor zich bij nadering van de eerste tien kruispunten nog verslikte en verbaasd afsloeg omdat ik bij het remmen vergat te ontkoppelen; maar eenmaal in België ging het schakelend rijden alweer automatisch, vond ik een vergeten driekwart rol drop in het deurvakje en bleek er bovendien nog een oude cassette van Joe Jackson in het handschoenkastje te huizen zodat ik, zinderend van tevredenheid, bij Senlis de tolweg voor gezien hield, Parijs zingend rechts liet liggen en binnendoor via Meaux (waar Zoetemelk een hotel bijeengefietst heeft), Melun en Fontainebleau, bij Nemours op de autoroute terugkeerde; waarna ik in Auxerre besloot te lunchen. Langs de weg en in de zon, met een karafje rode wijn erbij. Ik droeg, om kort te gaan, weer eens de bolletjeshansop: eerste op alle toppen van gelukzaligheid.

Maar Briançon bleek toch nog uren verder dan ik had geschat. Eerst Avallon, dan Beaune. Kwam Dijon nou onder Lyon of was het juist andersom? Nee, eerst Dijon. Maar dat mag je laten liggen. Dan Chalon, Mâcon en daarna pas Lyon. Vervolgens, ook nog tolweg, eerst naar Grenoble en dan pas, over de N91, naar Briançon.

Toen ik 's ochtends van huis vertrok dacht ik: als ik nou een beetje doorrij, dan kan ik de finish van de etappe van vandaag nog zien: Gap-Serre Chevalier. Honderdnegentig kilometer, over de Col de Vars, de Izoard en de Granon. Die prognose sloeg nergens op, want toen ik om half negen 's avonds bij het door Post opgegeven hotel in het lieflijke vlekje Pelvoux arriveerde, waren de mecaniciens weliswaar nog bezig met het soppen en verwennen van de fietsen, als krekels rikketikkende pignons in de lome avondstilte, maar lagen de coureurs al in bed.

En ineens was daar Walter Planckaert, die mij een ernstige hand gaf. Even later kwam Peter Post zelf uit het hotel; smaakvol gesoigneerd, maar ook al zo betrokken kijkend. Op de Franse autoradio had ik het verslag van de etappe half verstaan en begrepen dat de Spanjaard Chozas met zesenhalve minuut voorsprong aan de afdaling van de Granon was begonnen, maar ik had geen flauw benul van de aangerichte slachting en nog minder van de mate waarin de Nederlandse kaarten al gekeerd waren.

Alleen PR-man Fred de Bruyne lijkt hier niet onder te lijden, maar die permanente, praatgrage goedlachsheid vormt zijn visitekaartje, zal ik de komende dagen ervaren.

—Drinken wij een glas wijn van de streek? vraagt hij monter.

—Heel graag, meneer De Bruyne, zeg ik.

—Fred, zegt hij ontkurkend.

Had hij Luik-Bastenaken-Luik nou drie of vier keer gewonnen? En bij elkaar in de Tour toch minstens zes etappes? Trouwens ook Parijs-Roubaix een keer gewonnen, Fred de Bruyne toch? Dan zit ik hier, het is toch niet te geloven, met twee oud-winnaars van Parijs-Roubaix over het vedermistige dal uit te kijken; met de Alpen op de voorgrond en een groot rood glas wijn aan mijn lippen. Want Peter Post won hem in 1964 en is nog altijd houder van het record-gemiddelde: 45,129 per uur, over 265 kilometer. Wanneer ik mij goed voel en mij kwaad maak, bereik ik, op een droge asfaltweg, met mijn racefiets een maximumsnelheid van 34 kilometer per uur, die ik gedurende twee minuten kan vasthouden, mits ik wind achter heb. Post stopte ongeveer met fietsen toen hij zo oud was als ik nu ben.

Walter Planckaert. Die in 1976 de Ronde van Vlaanderen won, voor Francesco Moser, met wie ik nog op een foto sta. Rustig blijven nu, kalm aan, hou je in. Niet meteen proberen te imponeren met mijn cijferkennis van de wielersport. Mondje houden, braaf toehoren, alles bedachtzaam indrinken. Kleine slokjes nemen en dankbaar naar de krekels luisteren.

Het is maar goed dat de renners al slapen. Je ziet die jongens jarenlang alleen maar op de televisie, in de krant en in de Ronde van Kortenhoef vanaf de kant—dus nu ook Eric Vanderaerden, Robert Millar en Peter Winnen nog in het echt zien zou te veel zijn.

—Heel graag, meneer De Bruyne, heerlijke wijn is dit.

Dat was toch ook een oud-renner, Krekels? Jan Krekels, jazeker. Zat die niet in de Olympische honderd kilometer ploegentijdrit met Joop Zoetemelk?

—Nounounou, zucht Peter Post; het is me wat.

—Wat, meneer Post? vraag ik zacht.

—Peter, zegt Post. Deze Tour. Niet te geloven wat er in deze Tour allemaal gebeurt. En wat je nou ziet is dat je toch coureurs moet hebben waar een motor in zit. Dat ze het anders niet volhouden. Kijk naar Lemond, Bontempi. Neem zo'n Hampsten. Daar zit een motor in, in die jongens. Kracht. Reserves. Onder zijn door valpartijen gehavende voorhoofd sperren zich zijn lichtend blauwe ogen.

Ruud Bakker, de soigneur, is uitgemasseerd, komt bij ons zitten en rekent mij voor dat een etappe als vandaag, drie grote cols, klimmers als Millar en Winnen op zesenhalve en tweeëntwintig minuten gereden, een coureur zeg maar tienduizend calorieën kost.

Maar wanneer je eet zoals de lacto-vegetariër Robert Millar doet—geen vlees, geen vis, geen eieren, geen melk—dan heb je misschien maar zesduizend calorieën in huis.

—En die vierduizend die je er dan te kort komt? vraag ik naar de bekende weg.

—Ja, die moet je dan dus op de een of andere manier van je lichaam lenen, zegt Bakker; maar die lichte mannetjes als Millar en Winnen die hebben geen vet-reserves, dus die kùnnen die calorieën nergens van lenen. Nou en dan zie je wat er gebeurt.

Gerinkink van pannen in de hotelkeuken over-stemt de krekels. De mecaniciens van de ploeg, drie ervaren Vlamingen en een jonge Brabander, zijn, twee tafeltjes verder, uitgepoetst neergestreken en drinken water.

Ik zit licht te tollen op mijn stoel, maar heb mij heilig voorgenomen als laatste naar bed te gaan.

—Laten we nog een flesje wijn nemen, stelt De Bruyne voor.

—Die is dan voor mijn rekening, roep ik enthousiast.

—Als ze morgen op Alpe d'Huez nou maar een beetje redelijk bovenkomen, calculeert Post; dan moet Millar de hele rustdag in bed blijven. En eten. Eten en slapen. Meer kunnen we niet doen. Nee dank je wel Fred, ik geen wijn meer.

Ook Walter Planckaert legt zijn hand bescher-mend op zijn glas. Ze gaan naar bed.

—Tot morgen, zegt Peter Post.

—Tot morgen Peter, zeg ik.

Van Fred de Bruyne leer ik het komende uur wat in het Gents een puitenklopper betekent, hoe hij vroe-ger bij het trainen vaak bekogeld werd met stenen omdat zijn vader had gecollaboreerd met de Duitsers en dat hij, toen hij als prof in Parijs-Nice debuteerde, nog nooit aan de Belgische kust was geweest; zodat de eerste zee die hij van zijn leven had gezien de

Méditerranée was en hij ogenblikkelijk had besloten daar ooit een eigen huis te zullen bouwen.

Hij woont nu in hetzelfde dorpje als Raphaël Geminiani en elke dag drinken zij samen hun ochtendpastis. Dit is zijn eenendertigste Tour de France, want je komt er nooit meer van af.

—Wat moet ik morgen met mijn auto doen? vraag ik bangelijk, tegen twaalven.

O, dat is geen probleem. Een van de mekaniekers zal hem naar Alpe d'Huez rijden, voor de karavaan uit.

—Maar de allergrootste was Koblet, vervolgt De Bruyne; Hugo Koblet, de Zwitser.

Toevallig heb ik vanmiddag, in een vraaggesprek voor de Belgische radio, Wim van Est hetzelfde tegen Jan Wauters horen zeggen. En Van Est heeft toch nog gereden met De Bruyne? Dan staat dit van nu af aan vast: Hugo Koblet was de grootste.

—En wie was de beste sprinter in uw jaren, Fred?

—Darrigade.

Aan het ontbijt maak ik kennis met de zeven overgebleven Panasonic-renners en ik noteer in het geniep hun eetgewoonten: muesli's, pappen, yoghurt, sappen, bananen, biefstuk, rijst. Kilo's gaan erin. Anderson en Millar hebben hun eigen tupperware-set vol geheime granen bij zich. Onmiddellijk na thuiskomst zal ik mijn vrouw een boodschappenlijstje geven.

Dan zit ik plotseling, misselijk van de avond tevoren en met nog slappe jetlegs, naast Post in de ploegleiderswagen. Ik klamp mij vast aan mijn videocamera (een door Walter Planckaert inderhaast van een

Panasonic-stickertje voorziene Sony 8), want ik ben vastbesloten alles te filmen voor de wielervrienden thuis.

—Ik zou die arm zometeen maar naar binnen halen, zegt Jan Raas vanachter het stuur van zijn Kwantumploegleiderswagen wanneer wij elkaar, bij het innemen van de toegewezen volgwagenpositie, passeren.

Ik lach manmoedig terug, om tien minuten later vast te stellen dat Raas hier helemaal niets grappigs mee bedoelde: als de waarschuwing Niets Buitensteken ergens op zijn plaats is, dan is het wel hier in de volgerskaravaan waar, na een afdaling, diverse buitenspiegels op het wegdek achterblijven.

Ik mag de lijst van alle gestarte renners bijhouden. Zeker een kwart van de namen is al doorgeschrapt.

—Hoe gaat het met Bob? vraagt Post aan Guy Nulens, als hij voor de eerste keer langszij het klimmende peloton mag rijden.

—Hij zit erdoor, schudt Nulens.

De ploegleider roept, via zijn boordradio, Walter Planckaert op, in de tweede wagen. Post draagt een kraakheldere, witte bermuda en ik film zijn getekende knieën.

—Hallo Walter?

—Ja Peter, Walter hier.

—Millar zit erdoor, Walter.

—Misschien herpakt hem zich nog, Peter.

—Nee, dat wordt niks vandaag. Daar gaan we, Walter.

—De wonderen zijn de wereld nog niet uit, Peter.

—Dat is waar, Walter. Affijn, we zien wel. Morgen rustdag.

—Morgen moet 'm slapen, Peter.

—Okee, Walter.

—Dat is goed, Peter.

Zoals een knecht zijn kopman moraal aanpraat, zo krikt ook de assistent-ploegleider zijn Directeur Sportif op als dit nodig is, begrijp ik. Een perfect koppel, Post en Planckaert. Heren bijna.

Op de top van de Galibier, waar Millar, en daar begrijp ik niets van, toch nog als vierde bovenkomt, heb ik, quasi filmend buiten de wagen hangend, al twee keer moeten overgeven. Goed dat ik mijn maag van gisteravond kwijt ben voordat de afdaling begint, want die gaat dus, zie ik zelf op Post zijn teller, met vijfennegentig kilometer per uur. Alle oud-renners zijn fantastische autocoureurs.

Op het vlakke stuk in de aanloop naar de Croix de Fer, Hinault en Lemond zijn dan, voorlopig nog in het gezelschap van Bauer en Ruiz Cabestany, al bezig wielergeschiedenis te schrijven, laat Post zich afzakken, gaat naast Millar rijden en vraagt, niet roept maar vraagt, hoe het gaat. Het gaat niet. De frêle Schot grijpt naar zijn keel en gebaart dat hij geen lucht krijgt. Na de verhalen van jaren over zijn bikkelharde aanpak had ik geen medelijden van Post verwacht, maar hij heeft het, zie ik en hij spreekt Millar toe als een moeder haar zieke kind. Of hij wat nodig heeft. Nee, niks nodig. Okee Bob, take it easy. En eating hè Bob: much eating! Yes, grauwt Millar en Post stuift weer toeterend naar voren, waar Peter Winnen ergens zit te sterven in een groepje met Argentin, Zoetemelk en Lejaretta, nota bene.

—Walter?

—Ja, Peter?

—Het is toch niet te geloven?

—Ze koersen vooraan als zotten, Peter.

—Millar zit kapot.

—Jaja, ik weet het, Peter.

—Het is wat, Walter.

—Het is niet anders, Peter.

—Hoe is het met Phil?

—Alles goed, Peter. Phil rijdt in zijn eigen tempo.

—Okee Walter, blijf bij Millar hè?

—Dat doe ik, Peter.

—Hoe gaat het Peet, vraagt Post even later aan Winnen. Winnen wil cola. De mecanicien op onze achterbank trekt een blikje uit de koelbox en Post geeft het hem, na eerst zorgvuldig in zijn spiegel te hebben gekeken of er toevallig geen wedstrijdcommissaris achter ons zit. Winnen pakt zijn cola vast, Post geeft gas en driehonderd klimmende meters verder laat de tweevoudige winnaar van Alpe d'Huez het blikje weer los.

—Ik houd er niet van, zegt Post, maar reken maar dat dat even scheelt voor zo'n jongen. Maar het is natuurlijk uitstel van executie. Winnen is ook op. Geen macht meer hè. En pijn in zijn rug. Nou ja, morgen rustdag. Als we nou maar weer niet alle vrouwen van de renners aan het hotel krijgen, want daar hebben ze niks aan, de coureurs. Rust moeten ze hebben. Slapen en eten, verders niks.

Naarmate we dichter bij de top van de Croix de Fer komen, wordt het drukker langs de kant. Uitzinnig met de renners meehollende mannen, het schuim op de mond, en af en toe een vrouw die er, in min-

der dan een bikini, speciaal voor is gaan zitten; benieuwd of zij er in zal slagen de op oneindig staande
blikken van de uitgewoonde renners in haar richting
om te buigen. De meisjes langs de kant die er echt
aantrekkelijk uitzien, weten dit vaak zelf niet, zie je.
Het is de geestdrift die hen zo mooi maakt; hun in-
stinctieve bewondering voor deze mannetjesputters.
Wanneer de renners een bagagedrager hadden, zouden zij niets liever doen dan er, aan het begin van
zo'n afdaling, achterop springen om zodoende, hun
armen stevig om de gespierde atletentaille geslagen,
met wapperende haren bij hun hier in de buurt kam-
perende vaders en moeders vandaan te suizen—het
dal in en regelrecht een herdershutje binnen om daar,
in elk geval tot de volgende Tour de France langs-
komt, samen met hun held te blijven wonen; geiten
hoedend en haar eigen kazen kazend.

Alle renners lijden nu, met holle ogen achter vitra-
ges van zweet.

—Peter Post, voilà Peter Post! klinkt er om de tien
meter een verwaaiende kreet uit de golvende drom-
men langs de kant. Post is nog altijd geliefd en popu-
lair; niet alleen bij het publiek, maar ook bij andere
renners dan die van zijn eigen ploeg. Ludo Peeters
komt om drinken bij onze wagen; Beat Breu, Mottet
en Guido van Calster, en ze krijgen allemaal wat ze
vragen.

—Geef die jongen een bidon, zegt Post tegen de mecanicien.

—Als het om eten en drinken gaat heb ik geen vijan-
den, zegt hij tegen mij.

De voorsprong van Hinault en Lemond, horen we

over de tourradio, beloopt nu al meer dan een kwartier.

—Heb jij ooit zoiets meegemaakt, Walter?

—Dit is nog nooit vertoond, Peter.

Wanneer we in de dodelijke klim naar Alpe d'Huez Peter Winnen passeren, roept Post:

—Zet je apparaat goed, Peter!

Winnen is nu zo ver van de wereld dat hij zijn scheef geschakelde, krakende ketting niet eens meer hoort, maar wanneer in bocht zestien een toeschouwer roept: Jij kan beter gaan voetballen, Winnen! draait de op sterven na dode renner zich tot mijn verbijstering om, verplaatst zijn handen op het stuur, zet er eentje aan zijn mond en roept achteromkijkend terug: Ach man, krijg jij toch gauw de klere!

's Avonds, aan het diner in Hôtel l'Hermitage, als de renners hebben gedoucht, zijn gemasseerd en twee uur hebben geslapen, zitten ze, hoe is het mogelijk, alweer volop grappend en kraaiend achter hun overvolle borden en heeft Eric Vanderaerden, de bril eigenwijs halverwege zijn neus, zoals gewoonlijk het hoogste woord.

Winnen leest een boek over een yogi. Ik vraag hem waarom hij dat deed, reageren op zo'n klootzak langs de kant. Dat kost toch allemaal energie?

—Jawel, zegt Winnen peinzend, normaal doe ik dat ook niet, maar deze vent kende ik toevallig. En dan kan ik het niet laten.

—Jullie zíen ze dus, al die koppen? Je lèt er dus op?

—Jawel, glimlacht Winnen; dit was er namelijk eentje van mijn supportersclub.

Die supporters veranderen Alpe d'Huez 's avonds in een stuitende kermis. Met busladingen tegelijk klossen ze door de eetzalen van de hotels, de renners belegerend, bedelend om handtekeningen en petjes en brutaalweg een vorkje meeprikkend, als ze hun kans schoon zien. Vrouwen nemen haastige foto's van hun echtgenoten, die de coureurs onverhoeds in opschepperige omhelzingen hebben gevangen en intussen gaan hun kinderen op strooptocht langs balkonnetjes over de rand waarvan de doorgezwete shirts en broeken hangen uit te wiegen. Tot drie uur 's nachts houdt live ten gehore gebrachte, tot beneden in het dal versterkte Franse Popmuziek de renners uit hun slaap. Geen ergere Pop dan Franse Pop.

Robert Millar, op tweeëntwintig minuten van de droomtandem Hinault-Lemond als eerste Panasonic-renner gefinisht, heeft niet meegegeten en is meteen naar bed gegaan.

—Bob heeft negenendertig koorts, meldt soigneur Bakker.

Fred de Bruyne gaat een dokter halen.

—Moet jij morgen naar huis? vraagt Peter Post mij; moet je werken?

—Nounee, aarzel ik; dat niet meteen.

—Waarom ga je overmorgen dan niet mee naar Saint Etienne? Dat wordt ook een mooie etappe hoor, Villard de Lans-Saint Etienne. Zit nog een Col van de eerste categorie in. Misschien dat Millar daar nog wat punten voor het Bergklassement kan pakken, hè Walter?

—Jazeker, Peter, als 'm goed slaapt hè, morgen. Dat hij zich dan misschien kan hernemen.

—Graag, zeg ik; graag, ontzettend graag.

Mijn door een verzorger naar Alpe d'Huez gereden auto staat bij een Total-pomp in het dal en 's ochtends rijd ik met Fred de Bruyne mee naar beneden. Ik verkleed mij in het toilet van het pompstation, til mijn racefiets uit de kofferbak, zet hem in elkaar en begin als een kip zonder kop aan de klim terug naar boven. De eerste bocht heet Virage 21 en in de laatste draai naar het futuristische bergdorp zag ik gisteren die triomfantelijke 1 staan.

Ik kom tot bocht 17, dan val ik om. Intussen heb ik mijn hele bidon al leeggedronken. Hinault en Lemond deden die klim gisteren in 42 minuten, dus had ik mijzelf beloofd dat ik er twee keer zo lang over mocht doen. Maar al kreeg ik er een hele dag voor: op de pedalen kom ik daar niet eens boven.

's Middags aan de lunch geef ik uitgebreid lucht aan mijn bewondering voor de renners, door te vertellen dat ik maar tot bocht 14 ben gekomen.

—Heb je die berg dan opgefietst? vraagt Vanderaerden, met gespeelde afschuw.

—Jawel, hijg ik nog na; maar ik kwam dus niet verder dan bocht 13. Kan ook 12 geweest zijn hoor.

—En gij doet dat voor uw plezier? roept de Groene Trui verbijsterd en alle renners bulderen het uit en ik lach van harte mee, want ik vind hem ècht leuk, Eric Vanderaerden. Daar zit voor een deel de kracht van deze ploeg in: iedereen is gek van zijn vak, maar ze kunnen het allemaal relativeren.

Toen Anderson onze ploegleiderswagen in de afdaling van de Croix de Fer met honderd kilometer

per uur passeerde, vond hij nog tijd om een gek gezicht naar Post te trekken en even later riep Johan
van der Velde, als een cowboy, letterlijk Jippie, in het
langsstuiven. Van der Velde, hoor ik van de Brabant-
se mecanicien, is de enige renner van wiens fiets de
remblokjes niet vernieuwd hoeven te worden, na een
bergetappe.
—Waarom niet? vraag ik.
—Omdat hij nooit remt.

—Peter Winnen is een man die precies weet wat hij
kan, zegt Post; en verschrikkelijk intelligent. Die man
heeft klasse.

Omdat ik uit de kranten weet dat Winnen graag
wat mag lezen tijdens de Tour, heb ik in mijn be-
haagzucht een boekje van eigen hand voor hem
meegenomen.

's Middags klop ik aan zijn kamer en ik geef het
hem. Ik heb er voorin geschreven dat ik, tezamen
met tienduizenden Nederlanders, hoop dat hij nog
lang niet bij de Plantsoenendienst zal gaan, zoals hij
mij de avond tevoren had opgebiecht: 'Soms denk ik
wel eens, wat moet ik verder, met dat fietsen? Dan
denk ik: ik ga bij de plantsoenendienst; af en toe lekker een beetje op een hark staan leunen.'

In de kamer, die hij deelt met Millar, zit hij op de
rand van zijn bed afwezig in een telefoonboek te bla-
deren.
—Ik dacht net: wie zal ik nou eens gezellig gaan bellen, glimlacht Winnen met zijn mooie, dromerige
ogen. De langste wimpers van het peloton.
—Hoe is het met Millar, vraag ik, knikkend naar de
dekenbult in het bed naast hem.

—Die droomt van Schotland, weet Winnen.

Villard de Lans, waar de start van de negentiende
etappe zal plaatsvinden, ligt op negentig kilometer afstand van Alpe d'Huez. Bij dat ene pompstation beneden hebben, de hele nacht door, zevenhonderd
auto's moeten tanken. Ik rijd mee in de volgwagen
van De Bruyne.

Robert Millar zit lijkbleek voorin, soigneur Bakker en ik delen de achterbank.

—Kijk jij links, dan zoek ik rechts, zegt hij.

We moeten een pharmacie hebben. Neusdruppels,
heeft Millar nodig.

—Daar! roep ik. De Bruyne parkeert en stapt samen
met Bakker uit.

Ik blijf met Millar in de auto achter. Ik heb altijd
gedacht dat dat een ringetje was, in zijn linkeroor,
maar zie nu dat het een gouden sterretje is. Lieve
jongen. Het is alweer minstens dertig graden warm.

Een vroege huisvrouw passeert met drie stokbro-
den en een jongen van een jaar of tien, die het Tour-
plakkaat op onze auto herkent en de vreemde wiel-
renner om een handtekening vraagt, op de dunne pa-
pierwikkel van de bakker dan maar. Ik heb een pen
en omdat niemand weet dat ik Repelsteeltje heet en
alweer enorm opgewonden ben, begin ik te breien
aan een stuk wartaal over Bobby; het hondje dat, op
Greyfriars, een oud kerkhof in Edinburgh, een standbeeld heeft gekregen omdat het dier, tot elf jaar na
diens dood, elke morgen kwam zitten janken op de
zerk van zijn baasje.

—That's nice, rilt Millar, but I come from Glasgow.

—Which part of Glasgow? vraag ik, alsof ik ook die stad op mijn duimpje ken.

—Oh, the part where all the murderers come from, glimlacht Millar koortsig.

—Murderers?

—Yes, all of them murderers.

—Did they shoot each other?

—No, too expensive. Hadn't enough money for pistols.

—Oh I see, zeg ik, maar ik kan niet meer stoppen; but in that case how did they murder each other then?

—Oh, with everything. Knives, bottles, even with their bare hands.

—Tsss, doe ik; I see, I see. That is very interesting. But if you have a dog, then...

Maar daar zijn Bakker en De Bruyne gelukkig alweer terug.

—Here Bob, zegt de soigneur en hij overhandigt de onttroonde bolletjestrui een kleine, bruine spray; no efedrine in it. Just to get some air in the first climb.

Millar gaat zorgvuldig de bijsluiter zitten lezen.

Maar het helpt allemaal niets meer: al op het eerste colletje, de Croix Perrin, moet hij de hoofdmacht laten gaan.

Post zegt tegen Robert van Lancker dat hij bij de almaar zieker wordende Millar moet blijven en de rest van de etappe zie ik wat een knecht is: bij iedere klim duwt de Belg de arme Schot naar boven.

Dat had De Bruyne mij nog gedoceerd, gisteren: er zijn er genoeg die knecht spelen hè, pas op! Maar knecht zíjn, dat kunnen er maar weinig.

Ook Vanderaerden wil Millar af en toe duwen, maar Post verbiedt het hem.

—Denk eraan, Eric; niet duwen hè!

In de etappe naar Alpe d'Huez had Vanderaerden zich ook al bezondigd aan het duwen van Millar en daar waren hem als straf vijftien kostbare punten voor afgenomen; een maatregel waar vooral Walter Planckaert zich verschrikkelijk kwaad om had gemaakt.

—Als hem zich nou had laten duwen, Peter, maar Eric doet dat om te helpen hè! Godefroot moet protest indienen bij de jury hè! Godefroot is de député van de ploegleiders, of niet soms?

—Ach Walter, dat heeft geen zin. Als ze je willen pakken dan pakken ze je toch wel.

Ze hadden uitgerekend hoeveel punten Greg Lemond maximaal zou kunnen halen als hij alle resterende etappes zou winnen (het omgekeerde van het vroegere wishful becijferen wat je nog stond als je een 1 voor je proefwerk zou halen), maar als Vanderaerden in de tijdrit rond Saint Etienne bij de eerste vijfentwintig reed en hem geen punten meer zouden worden afgenomen, dan moesten de Panasonics de Groene Trui kunnen vasthouden en ook de groene petjes van de eerste equipe in het Puntenklassement voor Ploegen. Meer zat er niet in. En volgend jaar beter.

—Is dat zo? had ik eigenwijs geroepen; misschien wordt het wel nooit meer beter! Misschien duurt het wel tien, vijftien jaar voor we in Europa weer een mondiaal meetellende generatie ouwerwets geblokte coureurs krijgen! Niet die tot vel over been afgetrainde klimmertjes en schrale rouleurs die je nu kansloos het onderspit ziet delven, maar weer mannen met een motor in hun donder; beren van het slag Jan Janssen en Hennie Kuiper. En Fred de Bruyne natuurlijk! En Post en Planckaert, niet te vergeten!

En ik vertelde wat ik allemaal aan beulen van jongens had zien rondfietsen in Californië en hoe ieder stadje daar elk weekend zijn hele, dubbele of driedubbele triatlon organiseerde met honderdtwintig kilometer hardlopen, vijftig kilometer zwemmen en zeshonderdtachtig kilometer fietsen en hoe de fietsenwinkels er als paddestoelen uit het asfalt schoten en wat daar met de popularisering van het voetbal niet gelukt was, nou, dat kon met cycling, vooral na de WK daar, best eens een waanzinnig succes gaan worden! En wat een reservoir aan klasbakken! Duizenden Lemonds gingen er naar Europa oversteken! Honderden Hampstens, let op mijn woorden!

—Als hij nou nog even zo doorgaat dan krijgt hij geen wijn meer, hè Peter? had Fred de Bruyne gevraagd.

Niet duwen Eric, niet duwen!

Gorospe wint de etappe en Phil Anderson, onwaarschijnlijk sterk rijdend na een voor de helft verloren seizoen, wordt tweede.

Millar en Winnen finishen op meer dan zes minuten.

—Moet je persee naar huis morgen? vraagt Peter Post mij die avond in het luxueuze Frantel Hotel te Saint Etienne, waar ook de ploegen van La Vie Claire en Colombia zijn ondergebracht.

—Ben je gek! juich ik.

—Want dat is ook mooi hoor, een tijdrit, smakt Post genietend en ik denk: hij is echt nog altijd stapelgek van wielrennen, of zijn ploeg nou in de prijzen rijdt of niet.

Na het eten, in de bar, de renners liggen alweer in bed of bij de masseur, brengt de motor-ordonnans zoals elke avond de klassementen en de eventuele verse eretruien.

—Un verre de vin? vraagt Fred de Bruyne hem dan.

—Volontiers, m'sieur De Brien!

—Wij zijn de enige ploeg die die man elke avond wat te drinken aanbiedt, zegt Panasonic's PR-man; en dat lijken onbelangrijke dingen, maar pas op hè?

Post en Planckaert breken zich intussen het hoofd over de indeling van de volgwagens, tijdens de tijdrit.

Als Post achter Vanderaerden rijdt, kan hij dan op tijd terug zijn om ook Anderson te volgen? Dan moet Fred met Van der Velde mee en als Walter dan Winnen en Nulens begeleidt... nee, dat kan niet, want tussen de starttijden van Winnen en Nulens zit maar anderhalf uur verschil. Maar wacht nou eens even: hoe laat start Van Lancker? Ja, nee, maar wie vangt dan de fietsen op? Walter Planckaert, prachtig krachtig handschrift, schetst de militaire operatie op zijn zevende servetje.

Ik blader intussen door les Classements sur Micro-ordinateur Hewlett Packard en lees daar plotsklaps onder het kopje Boetes dat de vijftien strafpunten van Eric Vanderaerden zijn herroepen!

—Hee jongens, roep ik overmoedig; moet je kijken: Eric heeft die vijftien punten terug, dus dat gaat niet door!

—Waar? grist Peter Post de bundel papier uit mijn handen; verdomd! Kijk eens Walter—dat scheelt hè?

—Awel dat is schoon hè, glundert Planckaert bedachtzaam.

—Dat ga ik Eric nog even zeggen, besluit Post; dat is goed voor zijn moraal, morgen.

—En wat wilde gij drinken? vraagt Fred de Bruyne mij; alsof ik persoonlijk bij Lévitan ben wezen protesteren.

Anderson en Vanderaerden willen de volgende morgen het parcours van de tijdrit verkennen, maar daar wordt, over hetzelfde traject, een etappe van de Tour Féminin verreden.

—Niks mee te maken! balkt Post en hij claxonneert zich, de weg voor zijn renners vrijmakend, een pad tussen de reclamekaravaan door.

De Renaultjes met de manshoge potten Pastachoca worden in de berm gedwongen; vier Michelinmannen worden meedogenloos gesneden en moeten, woest met hun worstearmpjes zwaaiend, van hun motoren af; protesterende wedstrijdcommissarissen worden glazig over het hoofd gezien en woedend gesticulerende motoragenten recht in hun gezicht uitgelachen.

—Geen gelul, gromt Post; mijn jongens moeten trainen. Is trouwens onzin, die hele Damestour.

In de op vijftien kilometer voor de finish geparkeerde stacaravan van mevrouw Nulens en haar zuster, kunnen Anderson en Vanderaerden plassen en zich verkleden. Dan rijden zij het laatste stuk; rekenend en schakelend. Voor straks wil Phil Anderson, tot ongeloof van de mecaniciens, een 20 op zijn achterblad. Maar ook dat is zinloos; tegen het koningskoppel Hinault-Lemond valt niet meer te fietsen. Terug in het hotel zie ik ze finishen: Hinault die, op de streep, de twee minuten voor hem gestarte Zimmerman nog inloopt.

Het is half zes en ik moet nu absoluut naar huis, anders gaat daar alles mis, maak ik mij wijs.

Ik had ook de laatste drie etappes nog wel mee gewild, maar vanaf morgen zit er een andere Invité d'honneur naast Post in de ploegleiderswagen en ik wil niet eens weten wie dat is.

Ik pak mijn tas in, ga met de lift naar beneden en zie in de hall hoe Greg Lemond zijn fiets, met nummer 7, rechtop de andere lift in wurmt. Zeker om hem mee te nemen naar zijn kamer voor een komische persfoto, denk ik nog. Ik overweeg even om mij erbij te wringen, maar dan zoemt zijn liftdeur al dicht.

De volgende dag lees ik in de bij het laatste Franse tankstation gekochte *l'Equipe* hoe de met zijn hele familie meegetroonde moeder van Greg Lemond Bernard Hinault ervan verdenkt dat hij 's nachts de fiets van haar zoon onklaar maakt. Dat door Hinault voorgestelde hand in hand finishen op Alpe d'Huez had zij ook al niet vertrouwd; haar zoon had de Fransman makkelijk op vijf minuten kunnen rijden!

Bij mijn auto staat Peter Post; every inch a host. Hij is bezig mijn voorruit schoon te vegen, met een tissuetje.
—Rustig rijden hè, beveelt hij; en als je moe wordt een hotelletje nemen.

—Ik zal in elk geval Parijs halen, scherts ik; en jij ook voorzichtig rijden morgen, op de Puy de Dôme.

Een paar meter verderop staat Bernard Hinault, tot in de puntjes gesoigneerd en ontspannen leunend tegen de ploegleiderswagen van Guimard, een kluitje verslaggevers te woord.

Post bekijkt het tafereeltje met bewondering.

—Die man heeft meer klasse dan Merckx, constateert hij; Merckx kon niet praten.

Parijs haal ik met één vinger in mijn neus, maar dan begint het gevecht tegen de slaap.

Lille. Was hetzelfde als Rijssel. Om mij wakker te laten bulderen, draai ik mijn dak en alle ramen open. Gent. Ik herinner mij Joe Jackson en zet hem op. Hardop meezingen, tot aan Antwerpen. Play us a slow song. En nog een keer en nog een keer. Breda, Utrecht, thuis!

—Hoe was het? vraagt Barbara.

—Onbeschrijfelijk, zeg ik; en ik ga vanmiddag een lekker stuk fietsen.

—Hoezo? gaapt ze.

—Ik heb een trui en een broek van Walter Planckaert gekregen, verklaar ik.

Dan was ik Abe Lenstra

Ik heb slecht geslapen, want in de kamer naast mij lag Monica Seles de hele nacht te kreunen. Het heeft geregend maar nu is het droog, hoewel er hier en daar nog verraderlijke plassen op het parcours liggen. Daarom besluit ik mijn banden niet te hard te pompen maar ze op halve spanning te laten, want mijn jarenlange ervaring heeft mij geleerd dat je dan een betere grip hebt op het natte wegdek.

Ik heb goede benen vandaag. Geen superbenen, maar ik voel toch voldoende macht. Ontbijt. Muesli, sinaasappelsap, twee bruine boterhammen met aardbeienbessenjam, koffie, twee mentholsigaretten. Als ik naar de start loop, fiets met orthodoxe spaakwielen en terugtraprem aan de hand, komt net Marco van Basten langs, met de bal hautain aan de voet. Hij doet of hij ons kleine buurjongetje is, maar heeft niet op mijn sliding gerekend.

Huppekee, bal over het tuinhek bij de andere buren. Moet hij hem zelf maar terug gaan vragen aan dat hysterisch opgemaakte mens dat denkt dat zij Monica Seles is. Zeker omdat ze een pingpongtafel in de tuin hebben staan.

Ik besluit niets te forceren en blijf de eerste kilometer kalmpjes aan de staart van de grote groep bungelen. Dat had ik beter niet kunnen doen, want bij nadering van de spoorwegovergang zakken de bomen dicht en breekt het peloton in tweeën.

De Italianen en Fransen zitten natuurlijk weer voorin en slippen brutaal de spekgladde rails over, maar ik wil geen risico's nemen en wacht, samen met de halve Postobon-ploeg en de als postbode verklede Adri van der Poel, tot de trein gepasseerd is. In de eersteklaswagon zie ik in een flits Anton Geesink zitten. Niet vergeten lucifers te kopen.

Dan zet ik mij aan kop van de circa dertig achterblijvers en sleur ons terug naar de hoofdmacht. Alleen Brian Holm neemt af en toe over, maar Kelly doet zoals gewoonlijk weer geen trap te veel en blijft al die tijd in mijn wiel zitten. Denkt zeker dat ik hem niet herken in die geruite rok en met dat regenkapje.

Die krijgt hij terug, voor Parijs!

Ik besluit eerst naar de slager te gaan. Voor de winkel ligt al een kleurig kluwen van fietsen, maar ik pers er een sprintje uit, klop Jalabert op de stoeprand en kan zodoende als eerste van de koplopers mijn volgnummertje trekken.

Ik koop vier slavinken en een rollade met het oog op de bergetappe van morgen en demarreer meteen na het verlaten van de winkel, want de weg naar de bakker voert door een flink aantal smalle kasseienstraatjes en daar kun je maar beter van voren zitten.

Ik pik twee bonificatiesprintjes mee, bij elkaar toch weer goed voor twaalf seconden, die ik in de klim naar de opticien nog hard nodig zal hebben. Maar Gert Jacobs, die zich heeft weggestoken als een man met een pet op een snorfiets, trekt weer veel te laat de sprint voor mij aan. Bovendien krijg ik op vijftig meter van de meet een kwak van een boom van een kerel die sterk op Guido Bontempi lijkt, zodat Indurain de winkel alweer verlaat met een heel gesneden bruin en drie croissants, wanneer ik als derde over de top kom.

Stom! Ik had het ochtendblad van huis mee moeten nemen om in de afdaling onder mijn colbert te stoppen!

Het blijft onbegrijpelijk en levensgevaarlijk dat er zo'n twintig schoolkinderen meefietsen in dit peloton. En wanneer leren al die omaatjes bij tegenwind nou eens een beetje fatsoenlijk in een waaier te rijden!

Daar zie ik Fignon en Duclos-Lasalle de drogist binnenstappen, maar dat zal wel om wat zwaarders dan neusdruppels zijn...

Pech bij de opticien: mijn berglenzen zijn nog niet klaar! Dat betekent dat ik morgen met mijn leesbril op moet rijden. Als het opnieuw regent, kan ik de tijdrit rond het tuincentrum dus wel op mijn buik schrijven.

Maar goed, daar ben je prof voor. Omdat Jesper Skibby zich laat gangmaken door een derny van de pizza-expresse, kom ik er niet aan te pas in de tussensprint voor de fietsenzaak van Harmeling en Zoon, maar als de laatste kilometer ingaat (waarom hangt er geen rode driehoek aan die straatlantaren?—de organisatie solt maar wat met ons renners!), knal ik erop en eroverheen en rij ik werkelijk alles uit de kast.

Met een half uur voorsprong op het snelste tijdschema kom ik thuis; uitgepierd maar absoluut niet kapot. En ik recupereer snel, want ik was pas drieëntwintig. Tegen mijn zevenentwintigste moet ik aan mijn top kunnen zitten.

Nu gauw op de NOS de samenvatting van deze etappe bekijken. Jean Nelissen zal me wel weer niet herkennen.

Binnen ligt mijn vrouw in bed. Alweer met Brian Laudrup.

Haai in the sky

De luchthaven Schiphol heeft nu zo'n vlucht genomen dat zij zich inmiddels uitstrekt van Amsterdam
tot aan de buitenwijken van Leiden—dat gevoel krijg
je althans wanneer je, na het inklaren, naar een van
de nieuwe pieren wordt verwezen.

Geen van de passagiers draagt, zoals het zou moeten, de maximaal één stuks handbagage, maar omdat
onze gate G8 zich op een klein half uur lopen van de
douane bevindt, besluiten wij ons in het vervolg voor
altijd aan deze regel te houden.

De recente aanbouw maakt een luchtige en toch
betrouwbare indruk. Frisse kleuren, originele materialen, glanzende vloeren.

Onder het dak heeft men grote witte zeilen gespannen wat, in combinatie met een dartel buizen-
stelsel, de indruk maakt alsof er een paar toestellen uit
de pioniersjaren van de luchtvaart boven je hoofd
zweven. Kunstige zwartmetalen wolkjes slierten als
cartoonballoons van gate naar gate.

En wat staat daar voor een kolossale zuil midden
op de pier, recht tegenover de slurf waar we straks
naar binnen moeten? Naarmate wij dichterbij komen
begint het meer en meer op een soort aquarium te
lijken!

Een kamerhoge, betegelde constructie is het,
waarvan het middengedeelte, vanaf borsthoogte, bestaat uit een met smoezelig water gevulde liggende

driehoek, waarin een elftal vissen moedeloos zijn
plicht doet. De zijden zijn zo'n twee meter lang, wat
ruimbemeten lijkt voor een aquarium; ware het niet
dat er allemaal jonge, een halve meter lange tijger-
haaien in rondzwemmen.

Haaien op Schiphol! Welke theorie ligt er aan
deze decoratie ten grondslag?

Is het de bedoeling de voornamelijk naar verre
zeeën vertrekkende reiziger via een kronkelredene-
ring op zijn gemak te stellen en het gevaar van zijn
intercontinentale vlucht te bagatelliseren?

Haaien zijn gevaarlijker dan vliegen?

En ze zijn nog volop in de groei, dus over een
paar maanden barsten zij uit hun gevangenis, moeten
ze verhuizen, worden ze in het holst van de nacht in
netten geschept, ontsnapt er eentje, gegil, gespetter,
gespartel en waar gaan ze dan heen? Geen toilet op
Schiphol is groot genoeg om ze door te spoelen.

Hoe enger het dier, des te vogelvrijer het is. Als
het ons kan aankijken, zoals een zeehond, of zogenaamd lachen, zoals de dolfijn, zit het schepsel goed
en krijgt het vaak een eigen gironummer; maar wanneer het als baby niet vertedert doordat het puilende
ogen en een te verwaarlozen aaibaarheidsfactor heeft,
kan er naar believen mee worden rondgesold.

Eigen schuld. Hadden ze maar niet van die enge
dieren moeten zijn.

Ik las onlangs een interview met Joop van den Ende
die, gevraagd naar leuke, gekke gebeurtenissen uit
zijn carrière, verhaalde van een groep krokodillen
die, ten bate van het een of andere circusnummer, in

nagenoeg bevroren toestand de televisiestudio werd binnengesleept; waar de dieren onder de warme lampen langzaam ontdooiden en dreigend de publieke tribune op trachtten te waggelen.

—Dat was vreselijk spannend, verklaarde de amusementstycoon; maar we hebben natuurlijk ook verschrikkelijk gelachen!

Ik snap niet wat hier leuk aan is, zomin als ik begrijp waarom zoveel Nederlandse gedetineerden gebruik maken van de permissie een kooi in hun cel te houden, met een in wezen dubbelgevangen vogel erin.

En omdat wij, net als voor politieke gevangenen, aidspatiënten en hongerende kinderen, ook regelmatig pal moeten staan voor het mishandelde dier, besloot ik niet met vakantie te gaan maar rechtsomkeert te maken en, als Bekende Nederlander, een tot de publieke verbeelding sprekende daad te stellen.

Het leek mij het beste op de foto te gaan met een kleinzeehondje en deze opname naar alle dag- en weekbladen te zenden, ter publikatie op de voorpagina.

Als iedereen in Nederland mij met een kleinzeehondje zou zien, dan was in één klap duidelijk dat ik, voor wat betreft de natuur en het milieu, aan de goede kant sta.

Hoeveel Bekende Nederlanders hadden zich inmiddels al niet laten kieken met een kleinzeehondje in hun armen? Zo uit mijn blote hoofd zag ik achtereenvolgens hurken: Frank Masmeyer, Frank Sanders, Frank Govers, Astrid Joosten, Joost Prinsen, Prins

Bernhard, Bernard Haitink, Theo Olof, Freddie Heineken, Gertie Bierenbroodspot, Maartje van Weegen, Maartje 't Hart, Ruud Krol, Arie Haan, Pieter van Vollenhoven, Anita Meyer, Lee Towers, Jan des Bouvrie, Jan Janssen, Leonie Jansen, Pierre Janssen—allemaal met een kleinzeehondje half op schoot!

Het werd dus hoog tijd dat ik ook eens met een kleinzeehondje op de foto ging.

Daarom reed ik de volgende morgen, tezamen met mijn vrouw die de foto zou maken, naar de zeehondencrèche in het Groningse Pieterburen. Eerst had ik in mijn Armani-kostuum willen gaan, maar misschien zat het zeehondje waarmee ik op de foto ging nog een beetje onder de olie, dus had ik oude kleren aangedaan, die mij erg goed stonden. Voor de authenticiteit hield ik in mijn kofferbak een paar kaplaarzen achter de hand, waaraan duidelijk zichtbaar zou zijn hoe ik mij daadwerkelijk had ingezet voor de revalidatie van dit specifieke kleinzeehondje dat ik nu, vermoeid maar gelukkig, teruggaf aan de vervuilde Waddenzee. De vervuiling van de Waddenzee die uw schuld is, omdat u nog nooit met een kleinzeehondje op de foto bent geweest. Ik daarentegen wel, zoals een toevallig passerende fotograaf gelukkig had weten vast te leggen.

De Zeehondencrèche in Pieterburen was helaas gesloten wegens inventarisatie, en pas de volgende morgen weer open. Wat moest ik doen? Ergens in de buurt blijven overnachten? Dan zou mijn goede daad mij nog geld gaan kosten ook en al te goed is buurmans gek.

Daarom besloten wij terug te rijden langs het Noorderdierenpark in Emmen.

—Goedenmiddag, oppasser. Zou ik even op de foto kunnen met een kleinzeehondje? Ik ben een Bekende Nederlander, dus dat is in orde.

Nee, dat ging niet. Daar konden wij nu onmogelijk bij, bij de kleinzeehondjes. Ik mocht wel poseren met een jonge chimpansee of de babygiraffe en met zoveel jonge vlinders als ik maar wilde, maar helaas onder geen beding met een kleinzeehondje, want die sliepen nu net zo lekker.

—Burgers Dierenpark, herinnerde mijn vrouw zich gelukkig; in Arnhem. Daar komen we toch langs, op weg naar huis.

Ik vroeg meteen naar de heer Burgers zelf, maar die was al in 1953 overleden, zeiden ze. En dat ze momenteel alleen maar volwassen zeehonden hadden.

Ook in het Amsterdamse Artis vingen wij bot, want hier krioelde het zo van de schoolklassen dat de ontroerende foto van mij met kleinzeehondje onmogelijk in het wild van de Waddenzee had kunnen zijn genomen.

—Dan rijden we nog even naar Bergen aan Zee, stelde mijn fotografe voor; naar het Zeeaquarium.

Ik kreeg een nekvlaag kippevel toen ik mij herinnerde hoe wij daar heel vroeger wel eens met de kinderen heen gingen. In een cementen bassin van vier bij vijf meter kurketrokken twee volwassen zeerobben de godganse dag hun hondebaantje.

—Maar dat vinden die twee grote zeehonden juist leuk, zo met zijn tweeën steeds vlak onder elkaar

door zwemmen in dat gezellige kleine badje, fanta-
seerde je tegen je kinderen; en ze zwemmen lekker
binnen, dus als het regent worden ze niet nat.

—Nee, zei ik dus; daar wil ik nooit meer heen. Stel
je voor dat die zelfde twee daar nog altijd rondsparte-
len. We gaan naar huis. Dan wordt de Waddenzee
maar een jaartje later schoon.

Thuis trok ik met de pest in mijn lijf mijn zeiljopper
uit en stroopte mijn wollen survivalmuts af, maar na
een kwartiertje begon het milieu toch weer aan mij
te knagen.

Zo ben ik nu eenmaal. Altijd met de wereld bezig.
Nooit een moment voor mijzelf.

Dus belde ik de Landelijke Vereniging tot Behoud
van de Waddenzee en vroeg of een van de medewer-
kers voor de eerstvolgende woensdagmiddag een
kleinzeehondje kon regelen en mij dan tegen tienen
komen ophalen met een Landrover, waarmee we een
eind het strand konden oprijden.

Na de lunch leek mij de beste tijd en zij moesten
zelf maar een goed restaurant kiezen en voor een fotograaf zorgen.

Hun negatieve, zelfs een beetje bitse reactie was
niet alleen een klap in mijn gezicht, maar ook in het
uwe; vooral wanneer u bedenkt dat er daar bij die
Vereniging wel vier hele nieuwe krachten zitten, die
betaald worden van het geld dat wij met zijn allen,
op de televisie, voor de Waddenzee bij elkaar hebben
gebracht!

Had iedereen mijn hart maar.

Met een rode kop van schaamte las ik in *de Volkskrant*
dat mijn kwaadheid om die haaien op Schiphol als
een tang op een varken slaat. Het gaat daar op de
nieuwe G-pier namelijk niet om zomaar een raar
aquarium, maar om een Beeld uit een reeks van drie
Beelden, '*die zich door hun sterke visuele en ruimtelijke
kwaliteiten afzonderlijk van elkaar uitstekend staande houden, terwijl ze door hun onderlinge samenhang en inhoude-
lijke gelaagdheid, met vele referenties naar de specifieke aard
van deze plek, de gehele pier haast omvormen tot wat met
een ouderwets woord Environment genoemd wordt.*'

Ik had het kunnen weten, want boven de ingang
van Artis las ik nog maar een week geleden: Natura
Artis Magistra—de natuur is de leermeesteres van de
kunst.

Maar het omgekeerde geldt natuurlijk evenzeer:
Natura Artis Ancilla—de natuur is de slavin van de
kunst.

Nee, nu vertrek ik een volgende keer in alle ge-
moedsrust van Schiphol.

Bal maakt goal

Een nieuw motiefje, een slijtvastere laklaag, sterkere stiksels: de voetbal kan blijkbaar nog steeds worden verbeterd.

Als ik in mijn jeugd zo'n bal had gehad, was ik in het Nederlands Elftal gekomen en geselecteerd voor de Olympische Spelen van Tokio; samen met nog vier jongens uit mijn straat. Want technisch gesproken waren wij stukken sterker dan de gemiddelde PTT-Telecompetitiespeler van tegenwoordig; omdat de bal van onze jeugd niet alleen groter en zwaarder, maar vooral zachter, eiiger en lastiger was.

Dat kwam doordat de buitenbal nog geen verzonken ventiel had, maar een strakke, met een lederen veter dichtgesnoerde sleuf waaruit wij 's woensdagsmiddags, direct na schooltijd, een lange, roodrubberen tuit te voorschijn pulkten om de sinds de week daarvoor geheel verschrompelde binnenbal zo hard mogelijk op te pompen.

Bij het stuiten op de stoep moest de bal galmen; dan was hij goed hard.

Nu was het de kunst om, na het terugtrekken van ons pompje, het ventiel ogenblikkelijk af te knijpen, dubbel te vouwen en met een elastiek dicht te wikkelen. Dit lukte zelden zonder het gevreesde verlies van lucht en al helemaal niet wanneer je het gevecht met de bal in je eentje moest leveren. Om hem fatsoenlijk op te pompen had je dus assistentie nodig en voor het goed strak aan elkaar rijgen van de gapende schede moest je ten minste met zijn drieën en een goede rijgpen zijn. En wanneer wij hem dan eindelijk dicht en min of meer rond hadden, was het buiten begonnen te regenen of te schemeren.

Op de plek waar de dubbelgevouwen ventieltuit zich tegen de sluitveter verzette, vertoonde onze bal een langwerpige bult die er de schuld van was dat de baan van onze schoten altijd onvoorspelbaar bleef.

Bij schuivers, wanneer hij op weg naar het doel een paar maal over zijn eigen veter struikelde, kon het leder plotseling opwippen, pardoes van baan veranderen, iemand in zijn gezicht treffen of door een ruit vliegen.

Na een zogenaamde dropkick (een in onbruik geraakte, door de voetballers van deze generatie niet langer beheerste traptechniek, waarbij wij de wreef tegen de bal drukten op het moment dat deze stuiterend de grond raakte) sloeg het leder vaak meteen haaks links- of rechtsaf.

Vooral bij een vuurpijl (welke speler van tegenwoordig heeft die kaarsrechte poeier omhoog nog in huis?) viel de zwabberende vlucht van onze bal goed waar te nemen, en de sukkel die het waagde het neerkomende projectiel te koppen en daarbij de van vier, vijf breukknoopjes voorziene leren veter op zijn hoofd kreeg, werd overgevend en in optocht naar huis gebracht, waar hij een week lang met zijn hersenschudding op de sofa bleef liggen. De bal heette niet voor niets het bruine monster!

Het verhaal ging dat de Engelse linksbuiten Stanley Matthews zo exact kon voorzetten dat de riskante vetersluiting altijd naar het doel van de tegenstander wees en de midvoor zijn kop comfortabel tegen de gladde kant van de bal kon klappen.

De hamvraag voor aanvang van ieder freedikeetje luidde dan ook: met jullie bal of met de onze?

Daar werd om getost en de ploeg die het leer van de tegenstander lootte, was vrijwel zeker de verliezer van het uren durende potje rauzen, aangezien alle spelers uit een en dezelfde straat de grillen van de eigen bal kenden als hun broekzak.

De korfbaluitslagen in het voetbal van voor het veterloze ballentijdperk zijn dan ook niet te wijten aan gebrekkige trainingsmethoden of een nog onvolmaakte tactiek, maar uitsluitend aan het wispelturige gedrag van de bal.

Ik heb er de uitslagen van de voorronden in het voetbaltoernooi van de Olympische Spelen 1952 te Helsinki op nagekeken:

Egypte-Chili: 5-4, Luxemburg-Gr. Brittannië: 5-3, Italië-Amerika: 8-0, Hongarije-Turkije: 7-1, Joegoslavië-Denemarken: 5-3, Hongarije-Zweden: 6-9!

Wij kunnen dus rustig stellen dat er in het voetbal een helaas voorgoed afgesloten epoque heeft bestaan, waarin de meeste doelpunten nog door de bal zelf werden gescoord.

Chaops

Een kwart van de bewoners in mijn oude straat is tegenwoordig allochtoon, en omdat mijn moeder haar
medeleven gelijkelijk verdeelt tussen ontheemde
mensen, ontredderde dieren en zieltogende planten
en zij net zo begaan is met een manke duif als met
een geknakte zonnebloem of een kwakkelende, van
oorsprong buitenlandse middenstander, stelde zij
voor dat wij haar verjaardag, die wij iedere keer ergens anders gedenken, ditmaal zouden vieren bij
Cheops: een kort tevoren om de hoek van haar straat
geopende shoarma-zaak, met een Egyptenaar als eigenaar, werkelijk een keurige vent, maar zo zielig
want er zat nooit een kip; dus als onze hele familie
daar nu een avond kwam eten, dan brachten wij wat
leven in de brouwerij, zou het zich rondpraten,
kwam wellicht de loop in zijn zaak en kon hij binnen
een paar jaar misschien lekker terug naar Egypte;
want je zag aan alles dat die stumper heimwee had.

Een maand voor mijn moeders verjaardag ging ik ter
oriëntering met de eigenaar praten.
   Ik liep een paar maal nerveus voor Cheops heen
en weer en al dribbelend schoot mij te binnen dat
hier veertig jaar vroeger een melkwinkel was gehuisvest, met een etalage die deze naam goedbeschouwd
niet verdiende. Een echte uitstalkast ontneemt ons
immers het zicht op de winkel ('onze voorraad is

groter dan wij hier kunnen etaleren, dus vraagt u gerust eens binnen'), maar in de vijftigerjarenmelkzaken behelsde de etalage niet meer dan een veertig centimeter brede plank voor het raam, waarop diverse fopartikelen stonden uitgestald.

Het viel te billijken dat de piramidegewijs opgestapelde pakjes boter niet echt waren, want dan zouden zij immers gaan uitzakken en druipen; met alle viezigheid van dien. De melkhandelaar etaleerde dus van karton gevouwen, inhoudloze modelletjes, die de oorspronkelijke pakjes moesten voorstellen.

In het midden van zijn uitstalplank stond vaak een glazen bokaal met fopeieren van kalk en het verlokkend bedoelde stuk kaas was meestentijds gefabriekt van een wig geelgeverfd hout, waar de oudste zoon gaten met drie verschillende diameters in geboord had. Je kon zien dat hij er na een middag genoeg van had gekregen.

Ik verkoop Boter, Kaas en Eieren, wilde de winkelier hiermee zeggen. Maar hoe moest hij zijn melkflessen etaleren zonder dat deze zuur werden en er in de hals een afstotende kraag van schimmels begon te woekeren?

Toen is er een uitgekookte melkboer op het idee gekomen de buitenkant van een aantal lege flessen wit te schilderen. Maar dat was een tijdrovend karwei, zodat een andere melkman het volgende bedacht: hij maakte een emmertje witkalk aan en goot hier een lege melkfles mee vol. Deze volle fles schonk hij vervolgens over in een tweede lege fles, de inhoud van deze fles verhuisde naar fles drie, fles drie werd omgekeerd in fles vier, enzovoort. Tot hij een stuk of acht handig te rangschikken, van binnen witte flessen had. Nu draaide hij zijn duim in de halsopening rond, veegde de bovenste twee centimeters verf weg aan zijn voorschoot en de volgende dag dachten alle voorbijgangers—wat steeds dezelfde mensen waren, maar dat deed er nog niet toe—dat er een rijtje volle flessen verse melk voor het raam stond.

Allemaal, behalve ik; want ik wist hoe het zat.

Na ongeveer een maand begon de geverfde melk immers te vergelen en te craqueleren, zodat de operatie met nieuwe flessen moest worden herhaald en daar heb ik onze melkboer een keer of drie bij weten te helpen.

Ik zorgde er namelijk voor dat ik goed was met de melkboer, want van melkboeren werd gezegd dat zij met je moeder naar bed wilden en zo kon ik hem een beetje in de gaten houden. Menige heer des huizes die in deze jaren onverwacht thuiskwam, trof in de badkamer immers de melkboer aan, die in zulke gevallen nog even onverrichter zake speelde dat hij de loodgieter was.

Maar dan kwam er na een week weer een hele nieuwe melkboer aan de deur en begon het gedonder van voren af aan. Eerst paaiden zij je met extra gratis voetbalplaatjes die bij de boter zaten en wanneer jij dan veilig naar je kamertje was om ze in je album te plakken, dwong de melkboer onze moeders tot gemeenschap op de canapé.

Engelse melkboeren maakten het nog bonter; dat kon je duidelijk zien in films met Diana Dors en Norman Wisdom. Alle huisvrouwen in zo'n melkwijk moesten eraan geloven en dat deden zij maar al te graag! Zodra hun mannen naar het werk waren trokken zij iets nylons aan, waarmee zij op de uitkijk gingen staan kijken waar the milkman bleef.

Wat maakte de melkboer toch tot zo'n Casanova? Ik denk dat dit komt omdat het altijd frisse jongemannen waren, met gezonde blossen op hun wangen, gespierd van het sjouwen en romig ruikend. Bovendien zorgde het melkprodukt voor een erotiserende wezensverwantschap tussen de beide seksen. Menige melkboer molk immers nog zelf en deze wetenschap maakte het dier in sommige van onze moeders los; zodat zij bij het tonen van hun borsten bij wijze van spreken minder gêne gevoelden voor de melkboer dan voor de huisarts. Maar mijn moeder dus niet en daarom organiseer ik nog elke keer de viering van haar verjaardag.

Ik wist niet welke winkels er na die zuivelhandel allemaal in dit pand gehuisvest waren geweest—ik nam een drempel van dertig jaar en trad binnen in een nieuwe wereld: twee rijen van zes tafeltjes waar de beheerder zijn stofzuiger tussendoor sleede.

Aan het andere uiteinde van de zaak verrees een te hoog uitgevallen bar, waarachter twee infrarood beschenen vleesbomen zich warm draaiden, want, vertelde mijnheer Gamal geestdriftig nadat hij met de voet zijn stofzuiger had uitgeschopt; nu was hier deze stil, maar vanavond kwam de grote druk, want dan kwamen veel mensen terug uit Scheveningen naar het centrum en krijgen zij grote trek in een broodje shoarma, ook om mee te nemen. En hij had koffie die vierentwintig uur vers bleef. Wou ik hem proberen?

Heel graag, mijnheer Gamal, dan zal ik u uitleggen wat de bedoeling is. Ik wou u namelijk voor een avond uitkopen, indien mogelijk.

—Uitkopen? herhaalde de eigenaar met wijde, vriendelijke vraagogen.

Omdat ik een kop groter was verhielden wij ons plotseling als Manuel en Basil Fawlty. Wij gingen aan zijn bar zitten, kregen koffie van een piramidale, Nederlandse schoonmaakster en ik vertelde stap voor stap wat ons voor ogen stond: zaterdagavond over drie weken, om een uur of zes, wilden wij met circa vijftig keurige mensen naar Cheops komen om hier tot minstens twaalf uur te eten, te drinken en te zingen, maar dat moest dan wel een besloten bijeenkomst zijn, dus dat er geen klanten in de zaak zaten die niet tot onze familie behoorden en dat er ook geen vreemde afhalers in en uit liepen, nee, het was de bedoeling dat het een beschaafde, gezellige avond werd, ter gelegenheid van mijn moeders verjaardag.

En er behoefde niet op een dubbeltje te worden gekeken, voegde ik er nog aan toe.

Mijnheer Gamal pakte geroerd mijn beide handen en feliciteerde mij alvast met mijn moeder.

Misschien kende hij haar wel, zei ik: die grijze mevrouw van hier om de hoek, op nummer zeventien woont ze, waar die lijsterbes tegen de muur groeit en 's ochtends al die duiven voor de deur zitten te wachten op hun boterhammen.

Aha! Was dat mijn moeder! Maar dan was het hem een grote eer en een zaak van zijn hart en de plicht van zijn familie om deze avond van alles het beste te geven met heel zijn volslagen inspanning en het zwaarste genoegen van zijn ganse leven.

Onze beide krukken wankelden toen hij grommend zijn hoofd op mijn schouder legde en mij broederlijk omklemde met twee worstelaarsarmen.

Daarna trok hij zijn portefeuille uit de achterzak van zijn broek, klapte hem open en tikte met een bepleisterde vinger teder op een plastic ruitje waarachter een oude, in het zwart geklede vrouw stond opgesteld in een veld vol uitgebloeide zonnebloemen.

—Mijn moeder, zei mijnheer Gamal en hij wachtte trots op mijn reactie.

—Een lieve moeder heeft u, knikte ik bewonderend.

—Maar uw moeder is ook een lieve moeder, kaatste hij terug.

—Uw lieve moeder leeft nog? vroeg ik voorzichtig.

—Ja mijnheer. Ik ben gelukkig dat zij nog leeft.

—Dan hebben wij allebei onze lieve moeder nog, concludeerde ik.

—Maar uw moeder woont hier en mijn moeder in Egypte mijnheer, verzuchtte hij en hij stopte zijn moeder terug in zijn achterzak en graaide een placemat van achter de bar waarop zijn hoofdschotel Isis stond afgebeeld: een met paprika, ui, sla en gebakken aardappelen gegarneerde shoarma-rapsodie, ten bedrage van fl. 23,50.

—Dat lijkt mij heerlijk, zei ik; en die dan vijftigmaal, zou dat kunnen? En een salade vooraf en als toetje een ijsje? En heeft u rode en witte huiswijn?

Oja hij had de lekkerste Italiaanse wijn van heel Egypte en het zou ons aan niets ontbreken. Wou ik misschien originele Egyptische muzikanten erbij hebben en een echte buikdanseres?

—Ja, dat is misschien wel zo leuk, peinsde ik; maar kon hij die attracties wel kwijt in deze ruimte?

Was geen enkele probleem, verzekerde mijnheer Gamal, want dan zette hij die twee gokkasten zolang op zijn binnenplaatsje.

Wilde ik zijn wijn alvast beproeven?

Dat was misschien wel zo verstandig ja.

Toen wij samen een fles hadden leeggedronken kende ik het verhaal van zijn leven, de namen van zijn kinderen, de ellende van zijn militaire diensttijd, de maat van zijn schoenen en twee Egyptische moppen.

Wij namen hartelijk afscheid, hij zei dat hij niet kon wachten tot mijn moeder jarig zou zijn en ik had het voldane gevoel dat ik weer een steentje aan de integratie had bijgedragen.

Thuis stelde ik de uitnodiging op en onze vijftig gasten reageerden geestdriftig.

Veel ooms en tantes hadden altijd al eens naar Egypte gewild en geen van hen wilde dit buitenkansje laten lopen.

Wanneer ik op de afgesproken dag, een uur voor aanvang van het feest, de shoarma-snackbar Cheops betreed, zit deze vol met vreemde mensen.

Wij hadden toch duidelijk afgesproken dat het een besloten avond zou worden, mijnheer Gamal? vraag ik streng. Want nu komt het erop aan. De verhoudingen moeten duidelijk zijn, want dat zijn ze gewend en ze willen niet anders. Vooral niet positief gaan discrimineren door alles maar folkloristisch en okee te vinden.

Jawel, maar dit was alles in orde, want deze mensen waren slechts zijn eigen familie en vrienden, die zouden helpen met koken, bedienen, inschenken en afwassen.

En hij stelde mij aan hen voor: aan zijn oom die, geassisteerd door zijn jongste zoon, de gehele verjaardag van mijn moeder op deze nieuwe videocamera zou vastleggen; zijn drie broers die het orkest vormden en mij begroetten met snoeren en schroevedraaiers in hun mond omdat ze nog moesten soundchecken en bezig waren met het ophangen van vier kolossale speakerboxen; een stuk of wat nichtjes die zometeen als serveerster gingen debuteren en drie neven die een Egyptische sportschool dreven en ervoor zouden zorgen dat er niemand binnenkwam die hier vanavond niets te zoeken had. Eentje was er alvast met zijn portierstaak begonnen, door mijn als eerste arriverende zwager de toegang te weigeren, maar nadat ik tussenbeide was gekomen verliep de ballotage van de overige gasten zonder kleerscheuren.

In de originele Egyptische buikdanseres herkende ik, aan haar horloge, de schoonmaakster van Cheops die, met gaas gesluierd en blootsvoets ruisend en rinkelend, de gasten golvend voorging naar hun zitplaatsen.

Ik durf te stellen dat wij een tolerante familie vormen, met alles bij elkaar opgeteld een ruime oorlogservaring, waardoor wij ons in moeilijke omstandigheden snel kunnen aanpassen. En de meeste van mijn ooms hebben wel voor heter vuren gestaan, zodat ze zich door deze vreemde buik het hoofd niet op hol lieten brengen.

Onmiddellijk nadat ik, verblind door de lampen van de videocameraman, het welkomstwoord had gesproken, barstte het orkest los en stopten alle tantes tegelijk hun vingers in hun oren. Zij werden niet alleen afgeschrikt door het schrille twaalftonige stelsel waarin er werd gespeeld, maar vooral door het overdonderende volume.

Terwijl de verjaardagsgasten hun tonijnsalade kregen voorgezet, onderhandelde ik met de muzikanten over de vermindering van het aantal aangesloten speakers en hoewel zij sputterden dat de authentieke Egyptische muziek zo niet echt tot haar recht kwam, werden wij het ten slotte eens over het ontkoppelen van twee van de vier boxen en het uitschakelen van de echo-functie op hun synthesizer.

Intussen bewoog mijnheer Gamal zich flitsend en fotograferend van tafel naar tafel en brachten twee van de obers een als zesduizend jaar oud aangekondigde rituele krijgsdans, waarbij zij, zonder hun handen te gebruiken, een twee meter lange, dikke rode stok tussen hun voorhoofden hielden geklemd.

Ik haastte mij bezwerend van gast naar gast, sprak de bezorgde ouderen kalmerend toe, vroeg de verbijsterde jongeren of zij dit geen te gek feest vonden en wees de buikdanseres tersluiks de mannen aan die zij, gelet op hun hart, beslist niet tot een duel mocht verleiden.

Misschien was het trouwens toch maar beter wanneer zij even een kwartiertje ophield met heupwiegen, want zij vulde in haar eentje het hele middenpad van Cheops en omdat de beheerder bij wijze van verrassing had besloten de hoofdschotel te flamberen en brandend te serveren, zat een ongeluk in een klein hoekje. Maar zij verstond mij niet, want over haar schokkende schouder zag ik de zanger van het trio schielijk een keukentrapje afdalen, waar hij op was geklommen om de twee ontbonden boxen weer aan te sluiten, en toen ik boos in hun richting beende braken zij het nummer waar zij mee bezig waren snel af en schakelden uitgekookt over op Happy Birthday To You, wat ik natuurlijk in de houding staand moest meezingen. En die ene ober sloeg de maat met de folklorestok en toen kreeg mevrouw Van Vlaanderen, de oude buurvrouw van mijn moeder, een van die leuke glazen lampjes op haar hoofd.

Zij had eerst niet willen komen omdat zij zich niet lekker voelde, maar de jarige was over de schutting blijven aandringen en nu lag die lieve mevrouw van nummer vijftien daar plat met haar gezicht in de shoarma-schotel Isis. Mijnheer Gamal wou er nog even snel een foto van nemen maar ik duwde hem vastberaden opzij, pakte de oude dame onder de armen en leidde haar naar buiten. Daar kwam zij weer wat bij zinnen.

—Er is niks aan de hand hoor, mevrouw Van Vlaanderen, suste ik; en u heeft zo te zien gelukkig nergens snijwonden. Ik zie tenminste geen bloed, maar zullen we voor de zekerheid toch niet even langs de eerste hulp rijden?

Nee dat hoefde niet, maar misschien was het verstandiger als ze nu naar huis ging, want ze had zo'n nare fluittoon in haar oren. Kon ik even met haar meelopen?

—Natuurlijk, mevrouw Van Vlaanderen; maar dat is

niks om u ongerust over te maken hoor, dat komt gewoon van de muziek en is morgen weer over. Zo zijn ze nou eenmaal, de Egyptenaren; misschien een beetje lawaaiig, maar altijd vrolijk!

—Maar vreselijk hartelijk, zei ze getroffen.

—Nou en of, viel ik haar opgelucht bij; schatten van mensen zijn het, stuk voor stuk!

Ik leidde mevrouw Van Vlaanderen behoedzaam haar benedenwoning binnen en zelfs daar was Cheops nog duidelijk te horen.

—Je moeder zie ik vanzelf morgen, zei ze; dan zal ik haar wel bedanken, want het was een heerlijke avond. Maar ik zou er toch niet willen wonen hoor.

—Maar u heeft hier toch zeker een heerlijk huis, mevrouw?

—Nee, in Egypte bedoel ik.

Toen ik in Cheops terugkwam was het aantal mensen verdubbeld en alle nieuwe gezichten behoorden aan Egyptenaren, van wie er enkele in druk gesprek waren gewikkeld met tantes die de dag tevoren nog niets van buitenlanders in Den Haag hadden willen weten.

In het middenpad hielden mijn moeder en mijnheer Gamal de vermaledijde stok tussen hun voorhoofden geklemd en mijn oom Henk, die vier bypasses heeft, zat op zijn hurken tegenover de buikdanseres te wiebelen. Mijn drie neefjes dansten woest met de serveerstertjes en de jongste ober demonstreerde mijn nichtjes hoe goed hij op zijn handen kon lopen, terwijl de beide zusters van mijn moeder achter de bar stonden, waar hun door de drummer van het muzikale trio werd gedemonstreerd hoe je het vlees van de draaispies moest snijden; want de sportschool-neven hadden de bewaking opgeheven, zodat er regelmatig mensen om een broodje shoarma binnenkwamen en niet meer weggingen.

Op de tafeltjes smolten vijftig ijsjes want daar had, behalve de man met de videocamera die het slagveld filmde, niemand meer tijd voor.

Het werd die nacht drie uur in Cheops en behalve mevrouw Van Vlaanderen is er niemand voortijdig vertrokken.

Toen ik om half vier op het binnenplaatsje tussen de gokautomaten afrekende met mijnheer Gamal, was ik verbaasd over de laagte van het totaalbedrag.
—Omdat uw feest is mijn feest, verklaarde hij plechtig; en alle feest is moederfeest.

De foto's van die avond hangen er nog steeds, almaar meer verschietend, voor zijn raam, waarop hij een week na mijn moeders verjaardag heeft bij laten schilderen:

Cheops vooral uwe parties.

Maar volgens mijn moeder is hij na haar verjaardag nooit meer uitgekocht.

Zomer in 't woud

Het enige nummer dat mijn vader en ik tweestemmig op onze mondharmonica's konden spelen heette 'Now is the hour'.

Now is the hour that we must say goodbye. Do you remember... en de rest van de tekst wist ik niet.

Nu trouwens nog niet. Nooit opgezocht. Mijn vader kende de woorden waarschijnlijk evenmin en wanneer de visite meezong, ging dit van lalala. Tussen mijn elfde en veertiende jaar moeten wij een keer of honderd 'Now is the hour' hebben geblazen op onze Hohnertjes Bravo.

Dat was vaste prik, op verjaardagen bij ons thuis. Zodra iedereen binnen was en zijn gebakje op schoot had zei mijn vader tegen mij: 'Knul, krijg jij je mondharmonica eens van je kamertje', en dan ging ik mijn gebutste instrumentje halen, met een tegenzin die aanvankelijk gespeeld was maar met het klimmen der jaren oprechter werd.

En dan speelden wij Now is the hour that we must say goodbye.

Ik vond mondharmonica spelen burgerlijk en armoedig. Als de accordeon al 'le piano du pauvre' heette, was de mondharmonica immers the poor man's accordeon.

Mijn vader speelde ook stukken beter dan ik. Hij beheerste bij voorbeeld de tongslag. Bij de tongslag sloeg je met de punt van je tong in de maat tegen de vierkante, houten blaasgaatjes, zodat de trilling van het koperen membraantje ritmisch werd onderbroken. Daar werd je spel een stuk swingender door.

Wanneer iemand je zei dat hij mondharmonica speelde, was het eerste wat je vroeg of hij de tongslag kon; precies zoals je van leeftijdgenootjes die al konden zwemmen wilde weten of ze de crawl langer dan tien slagen volhielden.

Hoewel mijn vader niet moe werd mij met opengesperde mond die tongslag-techniek te demonstreren, heb ik mij deze speelwijze nooit eigen kunnen maken. Door afwisselend hard en zacht te blazen probeerde ik mijn spel dezelfde schwung te geven, maar de kenners hoorden onmiddellijk dat ik de kluit belazerde.

Behalve zijn tongslag had mijn vader ook de wapperhand vervolmaakt. Het mondorgeltje in zijn horizontale linkerhand vasthoudend, wapperde hij met zijn haaks hierop geplaatste rechterhand snel en soepel heen en weer, waardoor er een fraai vibrato ontstond, dat vooral tot zijn recht kwam bij gevoelige melodieën als bij voorbeeld Now is the hour (that we must say goodbye).

Ik pieker mij suf, maar kan mij geen andere songtitels uit ons vlak na de oorlog opgebouwde repertoire meer herinneren. Er suizelen mij wat flarden te binnen van 'Ouwe Taaie (Jippiejippiejee)', 'Trees heeft een Canadees' en 'We'll meet again', maar wanneer ik die nummers op mijn huidige Hohner Blues Harp probeer te reconstrueren, kom ik nergens. Terwijl ik zoëven foutloos 'Now is the hour' blies. Je kunt wel zeggen dat dit behalve onze herkenningsmelodie tevens ons succesnummer was, want de avond werd er niet alleen mee geopend (Now is the hour), maar vanzelfsprekend ook mee besloten (that we must say goodbye), terwijl het bovendien het sterkste nummer van de halverwege de verjaardag gespeelde potpourri was. En dan hadden wij natuurlijk nog onze verzoeknummers, waarbij negen van de tien ooms en tantes om 'Now is the hour' vroegen. De door mijzelf ontwikkelde en spelenderwijs voortdurend verfijnde tweedestempartij bevatte, vlak voor het slot, een indrukwekkend loopje—terwijl mijn vader twee maten lang, met de tongslag, één bepaalde toon aanhield, blies ik een in mijn oren virtuoze riedel van achtste noten, aan het eind waarvan wij tweestemmig wegstierven. Nu stonden diverse tantes de tranen in de ogen, vooral wanneer er in de voorafgaande weken een familielid was overleden.

Mijn vader bespeelde niet alleen de mondharmonica, maar ook lepels en banjo. Zoals het wasbord ooit het ritme van de skiffle bepaalde, maakten vroeger de cowboys te velde gebruik van huishoudelijke artikelen; door twee met de bolle kanten tegen elkaar vastgehouden soeplepels op de knie te klepperen en ze bij het omhoogkomen met je vrije hand tegen te houden, kon je een fascinerende klikkerdeklak- en Hillbilly-cadans produceren. Dat wil zeggen: mijn vader kon dat, omdat hij uit Rotterdam kwam waar, in de cafés, zeelui van over de hele wereld dit lepeldrummen beoefenden. Zelf heb ik deze techniek nooit onder de knie gekregen. Na twee slagen vlogen ze door de kamer. Op mijn vingers fluiten kon ik ook niet. Hij wel; de mooiste vogels.

Het is onvergeeflijk dat ik de muzikaliteit van mijn vader, toen hij nog leefde, niet veel meer heb bewonderd en geprezen en daarmee, wie weet, nog wat extra gestimuleerd. Misschien deed ik het niet uit jaloezie, omdat ik mij muzikaal verre zijn mindere voelde. Hij was op geen enkele manier muziek-technisch geschoold, maar omdat hij ooit nog eens de loterij zou winnen om van die honderdduizend gulden in de allereerste plaats een piano te kopen, liet hij zich ieder jaar een nieuwe schriftelijke cursus aansmeren waardoor hij, via een sterk vereenvoudigde vorm van dat lastige ouderwetse notenschrift, binnen enkele weken vloeiend muziek zou leren lezen.

Maar steeds opnieuw haakte hij na een paar lessen af en verliet zich weer op zijn absolute gehoor en zijn natuurlijke gevoel voor ritme. Dat was het wat mij dwars zat: mijn vader drukte mij met mijn neus op het feit dat ik niet swingde. Ik orgelde dan wel een liedje, maar echt leven blies ik er niet in. Uit kinderachtige rancune deed ik of ik hem niet hoorde wanneer hij op een dusdanig aanstekelijke manier banjo speelde dat ik, als ik niet oppaste, boven mijn huiswerk met mijn voet zat mee te tikken.

Toen ik twaalf jaar was en hij er bij gebrek aan respons nog maar zelden op tokkelde, heb ik mijn vaders banjo voorgoed verwoest.

Ik wilde een drumstel opbouwen en die banjo leek mij een mooie kleine basistrommel als ik de vier dubbele snaren doorknipte en de hals eraf zaagde; maar bij de eerste de beste klap met een van mijn moeders pollepels sloeg ik dwars door de kleine klankkast heen—wat echt drumstelvel had geleken, bleek perkament.

Twintig jaar later dacht ik het op een van mijn vaders verjaardagen goed te maken door hem een nieuwe banjo en een rubberboot cadeau te geven, omdat hij gek op varen was.

Ik zie hem nog zitten; 's avonds, in onze kleine achtertuin, midden in de halfweg opgeblazen boot, met de nieuwe banjo teder in zijn schoot.

Jongen dat is toch veel te gek en dat had je nou niet moeten doen. Ik wist niet dat hij een beetje reumatisch was geworden en stijve vingers had gekregen, maar hij ging het weer helemaal oppakken zei hij, want hij had een advertentie gezien voor een volslagen nieuwe methode van muzieklezen, waarbij de noten waren vervangen door appels, peren en pruimen. Als het om een halve noot ging was er een hap uit de vrucht en een kwart noot werd verbeeld door een klokhuis of iets dergelijks en de maatstrepen waren steeltjes. Toen begon het zachtjes te regenen en hielp ik hem overeind, terug naar binnen, waar wij de geel-oranje rubberboot op zijn kant tegen de wand plaatsten, de nieuwe banjo rechtop erin staand en wij, op aller verzoek, voor de laatste keer samen 'Now is the hour' hebben gespeeld.

Waarom heb ik dat toen niet opgenomen! Ik had toch al een taperecorder? Nee, hooghartig denken dat dit allemaal niet meetelde in mijn leven, niet meer dan een aardigheidje en zonde van de band en dat muziek maken met mijn vader iets was waar ik in wezen boven stond.

Achteraf was ik, net als hij en trouwens elke gezonde Hollandse jongen, het liefst muzikant geworden; zoals mijn zoon Kasper. Die is nu eenentwintig en heeft, met zijn vriend Gilbert, in eigen beheer een CD gemaakt met achttien krankzinnige liedjes. Samen negen instrumenten en zeven stemmen op zestien sporen. Sommige stukjes duren maar dertig seconden.

Als mijn moeder, bij ons thuis, dit eerste produkt van haar kleinzoon hoort, denkt ze alle liedjes te herkennen van de televisie.

—Dat is ook een beetje de bedoeling hoor, prijst hij zijn oma.

Mijn moeder glundert en ziet er precies zoveel jaren jonger uit als ik ouder dan mijn zoon ben.

—Het zijn eigenlijk allemaal tunes van kindertelevisieprogramma's die nooit bestaan hebben, zegt hij; dat is onze humor, dat kan ik niet uitleggen.

—Wat zijn tunes? vraagt mijn moeder leergierig.

—Het liedje waar een televisieprogramma elke keer mee begint, verklaart hij.

—Als je opa nog leefde zou hij jouw plaat de hele dag draaien, schat zij.

—En meespelen natuurlijk, vul ik aan. Maar weet je dat ik hier ook op meedoe?

—Jij? Toch niet met die gekke trombone, hoop ik?

—Nee, op mondharmonica, zegt mijn zoon geruststellend en hij staat op en tikt de desbetreffende track in: nummer 15, 'Zomer in 't woud'.

Ik wipte op een middag onverwacht binnen in het studiootje waar zij bezig waren. In een woud van zoemende apparatuur, instrumenten en lianen van snoeren zaten zij even in een dip. Ze hadden een mooie basis voor een Morricone-achtig nummer op-genomen, maar er ontbrak nog iets aan de gedroom-de sound.

—Eigenlijk zou er een mondharmonica bij moeten, peinsde Gilbert.

Ik zag mijn zoon aarzelen.

—Heb jij tijd? vroeg hij mij toen.

Ik keek bedenkelijk op mijn horloge, playing hard to get, maar was tien minuten later terug met de vier Blues Harps uit de rekwisietendoos van Koos Koets; de c, de bes, de f en de g, want ik had natuurlijk niet gehoord in welke toonsoort 'Zomer in 't woud' stond.

In 1988 vroeg Raymond van het Groenewoud mij of ik een klein stukje trombone zou willen inspelen op zijn CD Intiem, maar de zenuwen die mij toen in een Brusselse opnamestudio bevingen vielen in het niet bij de spanning waaraan ik hier onderhevig was. Kasper regisseerde mij, door de ruit van de opname-ruimte.

Na de eerste take zag ik ze ernstig overleggen met de moeilijk kijkende technicus. Stilte. Now is the hour.

—Het was niet slecht hoor pap, klonk mijn zoon door mijn koptelefoon, maar je viel twee tellen te vroeg in.

—Ja dat dacht ik al, glimlachte ik ontspannen.

—En je ging misschien iets te lang door.

—Ja precies, dat gevoel had ik ook.

—Zullen we d'r nog eentje doen? En je hoeft niet zo hard te blazen hoor, dat regelen wij hier wel.

—Ja dat is goed, Kas.

De zevende take was de beste en zo kwam hij er ook op te staan. 'Peter' heet hun C D, maar vraag mij niet waarom.

Wij luisteren; mijn moeder, mijn zoon en ik. Ik doe alsof ik, kritisch en objectief, voornamelijk oor heb voor de opnamekwaliteit, maar licht intussen verstolen mijn tweeëntwintig seconden durende solo eruit en til hem op een voetstuk tussen ons in.

—Ben je niet trots op je zoon, oma? vraagt Kasper.

—Ja hoor, zegt mijn moeder; vooral dat hij met zo'n mooie echo kan spelen. Dat kon je opa niet. Die wist alleen nog maar de tongslag.

Zelf gek worden

Van de spuit ben ik af, godzijdank. Het was een ho-gedrukspuit. Je begint, nog een beetje bang, met een ongevaarlijk muurtje of een stukje schutting, je ziet het vuil en de aankoek van jaren verslagen afdruipen en voor je het weet ben je verslaafd.

Ik had hem maandagmorgen gehuurd voor een dag, maar tekende dinsdag bij voor de hele week en heb verder alles afgezegd, want ik was begonnen aan de buitenkant van onze woning en toen kon ik niet meer stoppen.

Nu staat er een compleet ander huis. Het lijkt wel nieuwbouw. De eerste keer reed ik er zelfs voorbij.

Er is een nieuwe megahal voor doe-het-zelvers in ons dorp gekomen, daar komt het door. Je kunt het zo gek niet verzinnen of het is er te koop of te huur. Door straten vol bouwmaterialen schuifelen drom-men maten mompelende mannen. Van beduimelde papiertjes zien wij likkebaardend op naar schappen vol heerlijk hout en spaanplaat, latten en glas, palen, schotten en schroten, ijzer, formica en golfplaat, in alle vormen en afmetingen.

Ze hebben hier kant en klare bouwpakketten die je alleen nog maar in elkaar hoeft te zetten: hang-, la-den- en boekenkasten, kinderbureautjes, stapelbed-den, tuintafels en hele badkamerwanden in loodzwa-re dozen, die je niet anders dan op je schouder naar buiten kunt dragen, wat je het gevoel geeft dat je over een steiger loopt en one of the boys bent.

In feite verlaat je de hal met een bouwdoos voor volwassenen, waaraan na openen altijd een zakje wezenlijke schroeven, een handgreep van een lade of een verbindingsplankje ontbreekt dat wel op de tekening staat; kijk maar, zeg ik verontwaardigd tegen mijn vrouw.

Zij was allang blij dat er weer eens wat gebeurde in huis, maar nu wordt het haar een beetje te veel; dat gefluit, gevloek en gehamer de hele dag in elke kamer en dat voetspoor van zaagsel de trap op en af, want die ene ontbrekende legplank heb ik zelf op maat gezaagd uit het achterschot dat gerust wat kleiner kon, want dat zag toch niemand.

Werd ik nou gek of waren dit inderdaad twee linker Louvre-deurtjes? Dan monteer ik dat ene in godsnaam maar ondersteboven bij wijze van rechterdeurtje, want dat ziet toch niemand.

Wanneer ik iets verkeerd heb gedaan zeg ik 'dat ziet toch niemand' of 'dat wàs al'. Verder weer veel hardop in mijzelf en tegen mijn gereedschap praten. Ees evezien. Dattewe hoededezehier. Dan didde streepje zo en nummerootje vijverdevier. Ho zitte los de doordedingetjedeze? Eers moeteneve vastedraaien dattennik de boortjen doens.

Let bij de montage niet alleen scherp op links en rechts en onder en boven, maar vooral op de voor- en de achterkant!

Ze hebben de prijzen van deze bouwpakketten zo laag kunnen houden omdat er op het scherp van elke snede met de materialen is gewoekerd: alles is alleen afgewerkt aan de zijde die in het oog valt. Van de vijf witte planken in mijn zelfgemonteerde boekenkast zijn er maar drie gefineerd. Plank twee en vijf zitten er verkeerd om in en vertonen aan de voorzijde een grauwe, rauwe strook geperste meubelplaat. Of je zou de hele kast weer uit elkaar moeten halen, maar dat is onbegonnen werk, omdat de verbindingen de hele nacht in de lijmklem hebben gezeten.

En ik maar zoeken naar de meeverpakte raaispeunen, tot ik door krijg dat er op de tekening een d is weggevallen. Zo'n klein metalen cilindertje; een draaispeun, natuurlijk! Ik tel er drie, terwijl ik er voor mijn twee deurtjes toch echt vier nodig heb. Dan moet het linkerdeurtje van de wastafelonderkast (incl. legplank, twee witte kunststofgrepen en magneetsluiting, fl. 37,50) maar voor altijd dichtblijven, anders weet ik het ook niet. Ik heb geen zin om nu weer helemaal naar dat industrieterrein te gaan voor een losse raaispeun. De handdoeken kunnen ook via het rechterdeurtje wel netjes op hun plaats worden gestapeld.

Die handdoeken heb ik van de benzinezegeltjes en ik heb alweer vier kaarten vol! Zal ik ze morgen inruilen tegen de halogeen staaflamp, de LCD reiswekker of de proxxon metaaldetector? Kan. Of ik ruil twee volle kaarten in voor het officiersmes met 13 functies en voor de andere twee neem ik het sleuteletui Polo Player. Maar aan de andere kant moet ik dan weer helemaal opnieuw beginnen. Dus biddend dat ze hun cadeau-actie niet afbreken voordat ik het vereiste aantal kaarten heb volgelikt, en dit risico

spreidend door zoveel mogelijk verschillende benzi-
nemerken te tanken, spaar ik liever nog een paar
maanden door voor de 9-bands wereldontvanger, de
telefoon met zijn geheugen van tweehonderd nummers of het variotherm dekbed van 200 x 200 centimeter; daar ben ik nog niet helemaal uit, ook omdat
ik vanmiddag drie filmpjes bij de fotohandel haalde
(het vierde was gratis!) om mijn schoongespoten huis
te fotograferen en toen ik betaald had vroegen ze of
ik zegeltjes spaarde en ik zei Nou en of wat dacht u
en kreeg er drie mee, met een vierkant plakboekje
waar er veertig in kunnen, dan is het vol, en kan ik
kiezen uit een aluminium fotolijst formaat 30 x 40
centimeter, zes gastendoekjes of twee tafeltennisbat-
jes; maar wanneer ik zes volle boekjes inlever, krijg
ik daar een variotherm dekbed van 180 x 200 voor
ons huidige bed voor, maar ik was toch van plan zelf
een heel nieuw bed uit een bouwpakket te gaan bouwen als ik met de kastjes klaar ben, dus vandaar.
—Kijk eens wat handig! kraai ik triomfantelijk naar
mijn vrouw, wanneer ons nieuwe linnenkastje laag
model ten slotte op zijn pootjes staat, ietsjes wankel
omdat ik te laat las dat ik het bovendek met het uit-
gespaarde hoefijzer voor de zwanehals van de wastafel
pas had mogen afmonteren nadat de deurtjes in de
kast waren geplaatst; maar omdat ik die ene raaispeun
miste was ik allang blij dat ik ze d'r in had, zodat
onze wastafelonderkast weer voor driekwart uit elkaar moest en een beetje mank uit de hermontage te
voorschijn kwam; waar je vrijwel niets van ziet omdat ik de ene beugelgreep die er per abuis te veel bij
zat aan de rechterzijkant eronder heb gewurmd.

—Kijk eens wat handig! roep ik dus nog een keer, want ze doet vaak net of ze mij niet hoort; dan kunnen hier voortaan alle handdoeken in!

—Maar die liggen toch beneden in de linnenkast? vraagt mijn vrouw voorzichtig.

—Jawel, maar dan moeten we ze steeds naar boven sjouwen, zeg ik; en hier liggen ze direct onder de wastafel voor het grijpen, dus dat scheelt een stuk!

—Scheelt een stuk in wat? vraagt zij.

—In handigheid natuurlijk! roep ik; en in het grijpen! En ik wou trouwens morgen, onder de aanrecht, precies zo'n kastje voor de theedoeken in elkaar zetten, want dat is ook verdomde handig. En weet je wat ze daar ook hebben? Schoenenkasten met vier opbergvakken! Daar wou ik er twee van op de overloop gaan timmeren.

—Zoveel schoenen hebben wij toch helemaal niet? protesteert zij, maar ik zeg dat dat nog wel eens lelijk zou kunnen tegenvallen, ook omdat ik zelf hard aan nieuwe schoenen toe ben en dat wij al die opbergruimte nog dubbel en dwars nodig zullen hebben; zeker wanneer ik zou besluiten om door te sparen voor de Barbecue Vulcanus, die achtendertig volle zegelboekjes kost, dus 's winters binnen moet.

Een beetje gelijk heeft mijn vrouw wel, want er kan eigenlijk geen kastje meer bij, in ons huis. Als ik eerlijk ben, moet ik toegeven dat ik na twee weken vakantie uitgedoehetzelfd ben omdat alle boeken, platen, CD's, kleding, linnengoed en keukengerei binnenshuis nu ruimschoots onderdak zijn.

Maar ik kan niet meer stoppen!

Schattend trek ik door onze kamers, mijn gereed-schapskist aan de ene en mijn duimstok schietklaar in de andere hand. Hier dan misschien nog een klein handig kastje? Nee, te krap. Er past nergens meer iets tussen. Wij zitten vol.

Maar gelukkig gaat onze dochter binnenkort op kamers wonen, zodat ik haar oude kamertje geheel opnieuw doelloos kan bekasten.

En het moet al heel vreemd lopen wanneer ik, op haar eerste eigen adres, die zes zwaar metalen plank-dragers niet kwijt kan die ik nog heb liggen. En voor al haar ramen krijgt zij raamrolhorren.

En wat lezen wij nu weer in het wekelijkse krantje van onze nieuwe megahal? Ronde tafelpoten, wit of zwart, van fl. 23,50 voor fl. 19,95. Die kan ik niet la-ten lopen! En daar dan zelf een mooi blad op maken, van grenen rabatdelen met een werkende breedte van ca. 110 mm! Of nee: een luxe 3 deurs-hanglegschuif-deurkast, wit met spiegeldeur!

Ik zit alweer in mijn auto en huur voor drie dagen een boedelbak.

April in Paris

Een Nederlandse vriend wiens naam ik niet zal noemen (want dan wil iedereen zijn vriend zijn) heeft
een Bluebell-girl als dochter.

Zij heeft nog op mijn schoot gezeten, zegt een
man in zo'n geval.

Vrouwen zijn in dit opzicht discreter en herinneren zich van beroemd gegroeide jongens hooguit
hardop dat zij hun nog de fles hebben gegeven.

Die dochter van mijn vriend is oogverblindend
mooi, hartverwarmend lief en één meter tachtig lang.
Anders had zij ook geen Bluebell kunnen worden.

Wij gingen dit jaar met mijn vriend en zijn vrouw
naar Parijs, om haar aan het werk te zien in het Lido.

Eerst kijken hoe zij woonde. Nadat we als ooms
en tantes uit de provincie haar kleine appartement
voor dagen hadden vervuld van onze uitgaansparfums
en aftershaves, maakten wij in haar gezelschap een in
twee cafés onderbroken ommetje.

Wanneer ik naast haar kwam te lopen, deed ik dit,
als een veer zo ontspannen, op mijn tenen; en bij de
vrolijke groepsfoto's die voor haar huisdeur en de ingang van het Lido werden genomen, zorgde ik er via
stoepranden en vensterbanken voor een kwart hoofd
boven haar uit te steken.

Alle voorgaande keren dat ik Parijs bezocht en op

mooie jonge vrouwen stuitte voelde ik mij een nerveuze puber. Nu gedroeg ik mij, voor het eerst, als een volwassen man en vader; vrij van flirtkoorts, lichtelijk bezorgd en geneigd tot het geven van goede raad.

Uit hoofde van zijn bezigheden in de amusementswereld, komt mijn vriend al minstens dertig jaar regelmatig in het Lido. Toen die zelfde dochter twaalf was, heeft hij haar nog eens meegetroond, de dansvloer op. Zij schaamde zich en stribbelde tegen, maar tien jaar later praalt en wervelt zij daar nu zelf, als een van de acht Belles du Lido; langbenig, meestentijds topless en met grote ogen begeerd door, onder anderen, honderden Japanners die avond aan avond de helft van haar publiek uitmaken.

Hij zei het ieder jaar: Ga nou eens mee naar het Lido in Parijs, want je weet niet wat je meemaakt en dat moet je een keer gezien hebben!
Ik hield de boot af, want bij de gedachte aan deze excursie voelde ik mij een oudere snoeper.
Maar hij had geen woord te veel gezegd: een revue in het Lido vergeet je van je leven niet. Dat zit hem in de overtreffende trap die alle onderdelen van de avond kenmerkt. De zaal is tienmaal groter dan je na de smalle entree op de Champs-Elysées voor mogelijk houdt en het menu dat je voorafgaande aan de show krijgt opgediend, maakt qua verzorgdheid de indruk dat het niet voor twaalfhonderd maar voor twintig mensen in elkaar is gezet.
—Die zijn vroeger zelf Bluebell-girl geweest, maar

hebben waarschijnlijk een blessure opgelopen, denk je automatisch bij het volgen van de elegante Parisiennes die met de programma's, de sigaretten en de camera's rondgaan. De glimlach die zij in ruil voor je fooitje met je wisselen is van dien aard dat je er snel een tien franc-stuk bovenop legt, om haar nog even vast te houden.

Dan kijk je de tafeltjes rond en distilleer je verhalen van de gezichten—die twee zijn absoluut niet getrouwd, althans niet met elkaar; zij daar heeft vorige week een face-lift ondergaan en hij heeft geverfd haar; die vier Japanners hebben zwijgend ruzie met elkaar, eentje tuurt er strak op zijn bord en drie kijken er met opzet elk in een andere richting en hoe oud is dat meisje geworden, voor wie daar die taart wordt opgedragen terwijl het dansorkest, voor de derde keer vanavond, Happy Birthday inzet? Die massale man is niet haar vader, maar nu alweer de vierde vriend van haar moeder en hij probeert haar te lijmen met een ring; nu opent zij het doosje en miemt c'est magnifique. Hij is nog lang niet zeker van zijn zaak (de moeder wil hem wel, maar accepteert haar dochter hem ook?) en steekt gespannen een sigaret op; zij schuift het verjaarscadeautje ingehouden geeuwend aan haar vinger, strekt plichtmatig haar arm, laat haar jarige hand wat licht vangen, neemt dan haar bestek weer op en zal, voor de rest van de avond, haar nieuwe ring geen blik meer waardig keuren.

Wij hebben prachtige plaatsen, van waaruit ik, na het met champagne besproeide diner, om vijf minuten voor tien circa vierhonderd mensen een meter of twee zie verzakken; zodat de dansvloer een podium wordt.

De lichten doven en op het balkon barst The Continental Orchestra los. Kroonluchters en pilaren die ons gedeeltelijk het zicht zouden kunnen benemen, rijzen en dalen of klappen mechanisch in horizontale stand.

Dan zoeft het voordoek omhoog en gaat het spektakel van start.

Spektakel! Er is geen ander woord voor.

Omdat hij deze show voor de derde keer ziet, kan mijn vriend ons meteen zijn dansende dochter aanwijzen. De eerste keer, bekende hij mij, had het een half uur geduurd voor hij haar eruit had gepikt—alle meisjes zijn precies even lang en het tempo ligt zo hoog en de kleding is zo gevarieerd en spectaculair, dat je bij elk nummer opnieuw moet raden wie er achter en onder de wolken van boa's, pluimen en veren schuilgaan. De dansscènes dragen geëxalteerde titels als 'Galaxie du Bonheur', 'Invocation Aztèque' en 'Le Dernier Exploit d'Indiana Lido' en bij de mise en scène is men uitgegaan van de technische effecten die het Lido in huis heeft. Omdat ik nog nooit een disco heb durven bezoeken, valt mijn mond al open van een laserstraal, maar de lichtshow die hier wordt vertoond beneemt mij de adem; om nog maar te zwijgen van de Aztekentempel die verwoest wordt door een echte, donderende waterval; de in de nok van de zaal verschijnende helikopter waarmee Indiana Lido de op heuse paarden vluchtende diamantrovers achtervolgt terwijl de dertig mooiste blote meis-

186

jes van Parijs gillend een goed heenkomen zoeken; de onderzeeër die opduikt uit een meertje dat tien minuten later een ijsvloer blijkt te zijn en de saloon die in laaiende vlammen opgaat.

'Er werken achter het toneel twee keer zoveel mensen als erop staan!' roept mijn vriend tijdens het kunstschaatsnummer van Cinzia et Peter.

Ik geloof hem graag, want binnen tien minuten geloof je al niet meer wat je ziet. Dat Kris Kremo, de wereldkampioen jongleren, voor de duur van zijn entr'acte de zwaartekracht kan opheffen en dat de jongens van het acrobatenduo Acromecanico allebei op één hand kunnen lopen.

'Ça c'est Paris, Bravissimo!' heet de grande finale avec Kate Vanderliet et toute la compagnie. Ik hum hem mee, tik de maat met voeten en vingers en zou nu graag een dure sigaar willen roken, maar die kunst versta ik niet.

Rechts vooraan bij het podium verdringen zich wat uitgeserveerde obers, servetten over de arm, neuzen in de lucht en hongerig omhoog ziend naar de gestrekt geheven benen. Er dansen in totaal zesendertig meisjes mee, maar sinds een week zitten er drie debutantes tussen en het duurt een paar avonden voordat het bedienend personeel zo'n nieuw meisje in alle standen heeft bekeken en getaxeerd. Zoals ze daar slaafs staan te hunkeren, doen ze denken aan de oudere mannen die langs het bijveld toekijken bij de training van Ajax.

Toen mijn vriend en ik nog jongens waren, was dit ons droombeeld van Parijs: achter een champagnekoeler zitten genieten van reeksen schitterende meisjes. Wij hadden een buikje, maar waren zo rijk dat dit ons niet belemmerde in onze charmante contacten met danseressen en stripteaseuses. Ik herinner mij pikante tekeningen van schrijlings in een champagneglas getuimelde schoonheden; één been van pret en gespeelde schrik kaarsrecht omhooggestoken.

Onze fantasieën werden nog aangewakkerd door *Vrouwen van Parijs* en *Nachten van Parijs*—twee onder de schoolbank doorgegeven fotopockets van Nico Jesse.

Toen werden wij volwassen, ontwaarden we de rafels aan de glitter en lazen wij met tegenzin over geldklopperij en grauwe werkelijkheid: zo'n pikante revue was niks meer of minder dan één grote toeristenfuik. Nu wij vaders op leeftijd zijn, kan ik dit beeld gelukkig bijstellen. Natuurlijk is dit elke avond uitverkochte Lido een keiharde miljoenenbusiness, maar het plezier in hun werk dat alle betrokkenen uitstralen is stukken oprechter dan de plastic pret in EuroDisney.

Hier speelt een aparte trots in mee; de wetenschap te werken in een theater dat, in deze verpletterende vorm, nergens in Europa meer voorkomt.

Om twaalf uur staan wij weer buiten. We lopen terug naar ons hotel, in de richting Place Charles de Gaulle.

In gedachten draag ik een roodzijden cape en een hoge zwarte hoed.

Ik laat mijn wandelstok met zilveren knop een stukje over het plaveisel slepen en ik constateer, voor het eerst, dat de Champs-Elysées vals plat is, zoals zij opklimt naar de Arc de Triomphe.

'Daarom krijg je hier ook altijd van die rare eind-sprints in de Tour,' zegt mijn vriend.

U hoeft dit niet te geloven, maar hij heeft ook nog een zoon die wielrent als jonge prof en het is niet ondenkbaar dat die straks zijn eerste ronde van Frankrijk gaat rijden, om in de laatste etappe langs het werkadres van zijn zusje te suizen.

De volgende middag lunchen wij gezamenlijk, ten afscheid. De ster van de avond komt ons ophalen in ons hotel en ik bijt op mijn tong om niet even snel tegen de receptionist te zeggen dat dat meisje daar een Belle du Lido is en dat zijn Parisiennes er ook mogen wezen, daar niet van, maar dat er in Holland duizenden net zo mooie meisjes als de dochter van mijn vriend rondlopen en het is dat ik geen foto van haar bij mij heb, maar hij zou de dochter van mij en mijn vrouw eens moeten zien.

Aan tafel verklaren wij vurig hoezeer we van alles hebben genoten en van haar in het bijzonder.

Ze was ook veruit de leukste, omdat ze al haar dansnummers een komische scheut relativering meegaf—een ietsjes te verbaasde blik, een quasi-strui-kelpas, echt grappig schrikken, precies goed aangezet wuft bewegen.

Zij vertelt ons van de obers die na de eerste voor-stelling nog halfvolle champagneflessen aan de meisjes geven, tersluiks en door het gordijn, want het zaal-personeel mag niet achter het toneel komen, alles is streng geregeld; de oorspronkelijke Miss Bluebell is nu zesentachtig maar komt nog regelmatig kijken en ieder meisje wordt met een taxi van huis gehaald en ook weer teruggebracht.

En van de week hadden ze met een paar Belles de hele kleedkamer van die niet te pruimen charmezanger onder de poeder gespoten! Dat was lachen en trouwens het is elke avond raak, want vaak gaan ze met een heel stel na afloop van de tweede show, om drie uur 's nachts, nog wat eten op Montmartre en in het begin had ze overal blauwe plekken van die krankzinnige kostuums, maar nu is ze eraan gewend.

Even later hoor ik mijzelf ernstig deelnemen aan een gesprek over borsten; onze vrouwen mogen raden wie van de danseressen er siliconen te hulp hebben geroepen en de dochter van mijn vriend onthult welke Bluebell haar borsten op heeft laten halen en of wij daar iets van hadden gemerkt, want veel wordt met pancake weggewerkt.

Ik verklaar plechtig dat mij niets is opgevallen en ik zou ook nog willen zeggen dat ik haar de mooiste borsten van het hele gezelschap vond hebben, maar ach, dat weten die meisjes zelf het beste en dan denkt ze dat ik alleen maar naar hun borsten heb zitten kijken, terwijl ik daar nu eindelijk aan voorbij ben; geloof ik tenminste, hoop ik althans, dacht ik zo'n beetje.

Als wij weer terug in Holland zijn, mis ik mijn paspoort.

In het Parijse hotel laten liggen. Tegen het kwijtraken zolang in lade van nachtkastje bewaard.

Ik telefoneer mijn vriend om raad en durf het hem niet te vragen, maar dat hoeft ook niet want hij stelt het zelf voor: hij zal haar bellen en dan gaat zijn dochter er wel even langs. Dan neemt ze het mee als ze volgende week voor een paar dagen naar huis komt.

Er loopt een Bluebell-girl met mijn paspoort in haar tasje over de grands boulevards.

April in Paris.

Venco en Nubilo

Tijdens mijn recente wereldreis, de zevende alweer, verza-
melde ik wederom een groot aantal sagen en legenden, zoals
deze mij werden opgedist door tientallen bejaarde vertellers.

Hoewel ik alle bestaande talen spreek, kan er in de weer-
gave van deze verhalen wel eens een foutje zijn geslopen,
waarvoor ik de lezer mijn verontschuldigingen aanbied.

De volgende fabel werd mij verteld op het in de Flores
Zee gelegen eilandje Besar, dat ik zwemmend bereikte,
waar vóór mij nog geen mens in slaagde.

In een klein dorp op de droomeiland Besar woonden
eens lang voorheen twee mensenkinderen die een
jongen en een meisje vormden.

Zij waren een voor een zo mooi dat een ieder van
het dorp daar zij woonden en hierbuiten blij verrukt
was hoe deze mooie jongen en dit evenzo mooie
meisje elkander in de echt sloegen.

De oude voorspeller van het dorp, tevens de me-
dicijnman en een woekeraar zijnde, voorspelde dat
zij samen oud zouden worden, maar werd hierom
uitgelachen: niet alleen achter zijn hurken maar ook
recht in zijn rimpelkop, want sinds zeven jaren was
er geen enkele van zijn voorspellingen werkelijkheid
geworden.

Wanneer hij orakeelde dat het ging regenen begon
prompt de zon te schijnen en wanneer hij zei dat de
ploert haar stralen zou gaan werpen begon het dra te

regenen en dan voorspelde hij gehaast dat de regen op zou gaan houden te vallen, maar hij zei er niet bij wanneer, zodat niemand onder zijn indruk kwam.

Toen dit heerschap dan ook koffiedikte dat het meisje met de grote ogen dat het mooist van alle vrouwen van Besar kon weven en de jongen met het dikke haar die het knapst van alle mannen van Besar kon vissen, samen oud zouden worden, lapten alle mensen hiermee hun laarzen.

—Elke avond wanneer de zon achter de Bananenberg is gezakt, waarschuwde de slappe voorspeller, worden Nubilo en Venco een haar ouder!

(Hij sprak van Venco en Nubilo omdat de beide liefhebbers van elkaar zo heetten.)

—En wanneer de zon weer verschijnt achter de Vissekop vandaan, keek hij dreigend pis, zullen zij ouder dan de dag ervoor zijn!

De Bananenberg heette Bananenberg omdat zij op een Vissekop leek en de Vissekopberg leek tweedruppelend op een liggende Banaan; maar de eilandbewoners waren bang dat zij de beiden zouden beledigen als zij hen hardop zo noemden en zij vuur zouden gaan spuwen; dus heetten zij de Bananenberg de Vissekop en de Vissekop de Banaan.

Nu hield het mooiste meisje Nubilo zoveel van de mooiste jongen Venco en was Venco zo hondsdolverkikkerd op Nubilo, dat zij weigerden te geloven dat hun liefde ooit voorbij zou gaan en ook niet dat zij later oud zouden worden.

Zij zagen natuurlijk wel dat er op het eiland Besar oude mensen waren, maar zij fluisterden in elkaar dat al die mensen oud waren geworden door hun eigen schuld, omdat zij niet genoeg van elkander hadden gehouden.

En het sprak vanzelf dat de oude mannen en vrouwen die altijd alleen waren gebleven elke dag een haar ouder waren geworden, zodat deze nu kaal of grijs waren. Want wanneer zij iemand hadden gehad om van te houden en ook zelf door iemand van gehouden werden, zouden zij altijd jong en mooi en sterk gebleven zijn; dit dachten zo de beide jeugdige glansgeliefden.

Het was op deze ochtend van een als altijd zonnige dag—de zon was juist op de vissekop van de Bananenberg geklommen—dat Nubilo hand in hand met haar Venco over het kokoswitte zandstrand liep maar plotseling bleef stilstaan en zichzelf hardop de vraag vroeg: Wannéér worden wij de mensen eigenlijk ouder?

Zij hield zo tot voorbij de sterren van haar Venco, dat zij meerwijlen slechts iets vroeg om hem te horen antwoord geven, met zijn lieve warme stem, en verder nergens om, zij zulks.

Soms stelde zij hem op een dag wel honderd vragen die alle stuks zonder zin waren daar zij de antwoorden immers al kende; maar wanneer Venco haar dan langszag en zonder dit zelf in de gaten te weten die twee zo vertroelde en innerlijkst geliefde denkdeukjes in zijn edele voorhoofd trok, daar juist iets ten rechts- en linksboven van zijn piekerneus, dan werd het volle maan in haar buik, zoals de uitdrukking luidde op haar eiland en dan leken haar voeten haar wel toe te bogen op de bolle ruggen van twee schildpadden die elk een andere kant uit wegschuifelden, zoals een andere zegswijze op Besar het gevoel van kopje onder golvende verliefdheid beschreef.

—Dat is een goede vraag, mijn allerliefste Nubilo, peinsde Venco luide; want het is een vraag die ik ook mijzelf wel eens stel. Wanneer worden mensen eigenlijk oud? Wel, ik denk dat de mensen ouder worden wanneer zij slapen; wat de voorspeller ook zwatelde.

—Maar wij hechten toch niet aan de voorspeller, lieve Venco? Die oude mopperpot verwacht toch immers dat wij beiden oud zullen worden?

—Natuurlijk geloven wij geen pijnboompit van wat die krakende schelpenschikker aanzegt, mijn teerstbeminde Nubilo, maar toch lijkt het mij schrander dat wij nu wij getrouwd zijn niet bij elkander zullen slapen.

—Wij niet bij elkaar slapen? verstijfde Nubilo; maar wij zijn toch juist getrouwd om altoos in elkanders armen het duister te trotseren?

—Ik bedoel natuurlijk, legde Venco geduldig uit, dat wij elke nacht zij aan zij liggen nadat wij het immer naar meer smakende achtledematenspel hebben gespeeld, maar dat daarna slechts één van ons beiden zich aan Morpheus offert.

—En wat doet die ander van ons tweeën dan? vroeg Nubilo verbaasd.

—Die blijft wakker, zei Venco beslist; en blijft de hele nacht kijken naar die van ons die slaapt, zodat deze niet ouder wordt, want de schoonheid schuilt immers in het oog van de beschouwer?

—Dan wil ik degene van ons zijn die wakker blijft! riep Nubilo met meisjesdrift; want niets ter Besar is mij liever dan jouw lieve, slapende gelaat te bewonderen!

—Maar precies hetzelfde geldt voor mij, bedwelmende Nubilo! Geen aanblik is mij dierbaarder en verkwikkender dan de jouwe!

—Laten wij dan om beurten slapen en waken, stelde Nubilo haar Venco voor; wanneer jij slaapt zorg ik ervoor dat de ouderdom geen wortel schiet in jou en als ik slaap houd jij mij jong met jouw ogen.

En zo gebeurde dit. Wanneer Venco zich na een dag van vissen ter ruste legde, plantte een kiplekkere Nubilo, die de hele dag op de bodem van hun boot had liggen slapen, zich aan het hoofdeinde van het uit bamboebladeren gevlochten bed en begon zij zachtkens te weven, ervoor wakend dat zij elke vijf minuten even vol aandacht en liefde naar haar als een biggetje snurkende Venco keek, om te controleren of zijn verrukkende gezicht niet ouder werd. Nee, zij zag gelukkig geen verschil optreden!

En wanneer de dag daagde bereidde Nubilo een eenvoudig ontbijt en wekte zij haar Venco met ademfrisse kusjes op zijn jonggebleven voorgezicht.

In het nu brekende uur bleven beiden wakker. Zij aten passievruchten, dronken thee van bamboescheuten en bedreven in opperste overgave hun uitzinnige lichaamsgolvendanspartij.

Dan dwarrelde Nubilo in slaap, liep Venco keurend zijn netten en zeilen na en vlijde hij zijn jonge, betoverend mooie vrouw op de bodem van hun

boot. Daar verwijlde zij de ganse dag in haar droom-
paradijs, terwijl Venco beurtelings zijn dobbers en
zijn echtgenote gadesloeg.

Zo ging dit zeven jaren lang. Zeven jaren waarin de
beide liefdeskinderen geen dag ouder werden, want
hoe nauwspannend zij elkander ook beschouwden in
hun slaap—geen van beiden bemerkte in de ander
een verandering ten grauwere.

Ja toch: zeven keer ontwaarde Nubilo een grijze
haar in Venco's slapen, maar zeven keer trok zij met
haar fijne, spitse vingertjes dit onheilsteken uit, en
verwerkte zij de haar besmuikt in haar weefsels.

—Ben ik ouder geworden vannacht, mijn liefste Nubilo? luidde telkenmorge de eerste vraag waarmee
Venco na zijn ontwaken de dag aanbrak.

—Geen haartje, mijn oogappel, jokte Nubilo dan.

En zeven keer ontdekte Venco een klein klein
dwergrimpeltje in het glanzende voorhoofd van zijn
slapende Nubilo, maar alle malen masseerde hij deze
sluipende boosdoener terug in het niets, met kristal-
helder zeewater.

—Ben ik ouder geworden vandaag? vroeg Nubilo
onveranderlijk na haar oogopslag.

—Geen rimpeltje, mijn juwelenkistje, loog Venco nu
op zijn beurt.

En vervolgens vertelde hij haar wat hij allemaal
had meegemaakt op zee: hoeveel vliegende vissen en
dolfijnen hij geteld had en hoe hij bijna een tonijn
had weten te verschalken; precies zoals Nubilo hem
elke nieuwe morgen haar relaas van de nacht opdis-
te—hoeveel maal de gekko had geroepen en waar zij

aan gedacht had en dan liet zij hem zien hoe ver haar weefsel was gevorderd.

Zo bleven zij elkander boeien en hield elk de ander jong.

Maar toen, in het achtste jaar van hun samenzijn (de oude wichelaar was inmiddels op tachtigjarige leeftijd overleden, hoewel hij te vuur en te zwaard voorspeld had driehonderdveertien jaar oud te zullen worden) kregen Venco en Nubilo een gezonde zoon, die zij Kokindje noemden.

Het was zo'n lief, grappig en levendig kereltje, dat de trotse ouders hun ogen niet van hem konden afhouden. Maar zij sliepen nog steeds om beurten, zodat zij nimmer lang tezamen van hun kleine lieveling konden genieten, wat hen stilaan begon te verdrieten.

Daarom zei Nubilo op een morgen: Ach Venco, ik heb vannacht weer zo heerlijk met ons Kokindje gestoeid en zo van al zijn kleine gebaartjes en geluidjes genoten, dat ik mij werkelijk moest inhouden om je niet wakker te maken!

Waarop Venco antwoordde: O Nubilo! Gisteren in de boot werd ik door een vergelijkbaar gevoelen overvaren! Kokindje zat zo hartvertederend te spelen met de juist door mij gevangen, nog naspartelende koffervisjes, dat ik even overwoog je te wekken, om dit grote oudergeluk met mij te delen!

Toen verzuchtte Nubilo: Laten wij ons dwaze gevecht tegen de tijd staken, mijn lieve levensman! Laten wij ons overdag tesaam vermeien in ons kind en laten wij 's nachts gedrieën vredig slapen, want wat doet het er nog toe dat het leven langzaam uit ons wegdruipt, nu wij samen voor nieuw leven hebben gezorgd?

Aldus geschiedde.

En zo werden Venco en Nubilo samen oud. Heel oud. Want zij leefden tweemaal zeven jaren langer dan zij gedaan zouden hebben als zij niet zo alles opofferend van elkaar hadden gehouden.